O jeito Disney de encantar os clientes

Do atendimento excepcional ao nunca
parar de crescer e acreditar

Disney Institute

Benvirá

Copyright © Disney Enterprises
2011 Editora Saraiva
Todos os direitos reservados.

Traduzido de *Be our guest: perfecting the art of customer service*, Disney Enterprises, 2001. Tradução originalmente publicada em inglês nos Estados Unidos e no Canadá pela Disney - Hyperion Books, um livro do Disney Book Group chamado *Be our guest: perfecting the art of customer service*. Esta tradução foi autorizada pela Disney - Hyperion.

Arte e produção Usina de Ideia
Capa Aero Comunicação
Atualização da 13ª tiragem ERJ Composição Editorial
Impressão e acabamento Gráfica Santa Marta

Dados Internacionais de Catalogação na Publicação (CIP)
Vagner Rodolfo da Silva - CRB-8/9410

D612j   Disney Institute
                O jeito Disney de encantar os clientes: do atendimento excepcional ao nunca parar de crescer e acreditar – Ed. Especial – Capa dura / Disney Institute - São Paulo : Benvirá, 2023.
                190 p.

                Tradução de: *Be our guest: perfecting the art of customer service*
                ISBN: 978-65-5810-124-6 (Impresso)

                1. Administração. 2. Negócios. 3. Clientes. 4. Disney. I. Yamagami, Cristina. II. Título.

2023-1686   CDD 658.812
                                                                 CDU 658.814

1ª edição, 2011 | 43ª tiragem, abril de 2024

Nenhuma parte desta publicação poderá ser reproduzida por qualquer meio ou forma sem a prévia autorização da Saraiva Educação. A violação dos direitos autorais é crime estabelecido na lei n. 9.610/98 e punido pelo artigo 184 do Código Penal.

Todos os direitos reservados à Benvirá, um selo da Saraiva Educação.
Av. Paulista, 901, 4º andar
Bela Vista - São Paulo - SP - CEP: 01311-100

SAC: sac.sets@saraivaeducacao.com.br

CÓDIGO DA OBRA   623763   CL   671163   CAE   839679

Lembre-se sempre de que
a magia começa com *você*.

Prefácio

O nome Walt Disney Company imediatamente evoca todo tipo de associações maravilhosas – magia, criatividade, encantamento, imaginação. Com efeito, é tão coberto do pó de fada da Sininho que as pessoas muitas vezes só se concentram na parte "Walt Disney" e esquecem que ela ainda é uma "empresa". Nós acreditamos que temos muito em comum com a maioria das outras empresas e que a maior diferença é que os produtos que vendemos envolvem elefantes voadores, sereias e reis leões.

Este livro detalha algumas iniciativas por trás da magia. Há 25 anos, oferecemos programas sobre o que é necessário para montar o espetáculo para os nossos convidados no Walt Disney World. Esses programas têm atraído profissionais de uma enorme variedade de organizações. A reação tem sido extremamente favorável. Aparentemente, esses profissionais descobriram que temos muitos dos mesmos desafios e que, sem dúvida, todos temos a mesma meta: clientes satisfeitos.

Esperamos que você considere este livro ao mesmo tempo interessante e útil e que ele o instigue a saber mais sobre o que o Disney Institute tem a oferecer.

Michael D. Eisner
Ex-CEO da The Walt Disney Company e da Paramount Pictures e Fundador da The Tornante Company.

Prefácio à edição brasileira

Um participante dos workshops do Disney Institute em São Paulo aproximou-se de Fernando Beltran, facilitador trazido de Orlando, e pediu para a filha um autógrafo do Mickey, seu personagem favorito. Fernando gentilmente solicitou um cartão de visita do participante e anotou no verso o pedido.

Provavelmente, pela cabeça de todos os que estavam ao redor e presenciaram a solicitação, passou a ideia de que aquilo jamais seria realizado.

Em menos de um mês, soubemos que o nosso cliente havia recebido não só uma linda mensagem personalizada para a filha, como também uma foto do Mickey com Fernando, segurando o cartão para que ela tivesse a certeza de que o Mickey era o remetente. Acabava de ser criado um momento mágico para aquela garota, que ela jamais esqueceria.

Quanto mais estudo e trabalho com o pessoal da Disney, mais fascinado fico com este poder de motivar todos os colaboradores a oferecer além do esperado para todos que participam do seu grande elenco. Poder que faz uma arrumadeira de hotel do resort transcender a sua função operacional e compor uma alegre cena ao arrumar as bonequinhas compradas e deixadas por uma hóspede no quarto. Poder que faz um simples motorista de ônibus do parque ser proativo ao ver convidados parados no ponto de ônibus, consultando um mapa. Mesmo sem que haja qualquer pedido, ele para, abre a porta e oferece ajuda com prazer (isso aconteceu comigo quando eu fazia um curso no Disney Institute).

Talvez seja difícil imaginar como a Disney mantém milhares de colaboradores motivados trabalhando em funções repetitivas e exaustivas sob o sol de 43 ^{0}C do verão da Flórida. Ou ainda, como os maiores índices de recompra e fidelidade são atingidos anualmente pela empresa, que assim obtém sua merecida lucratividade. Mesmo que a concorrência tente, ela não consegue repetir o clima de magia que se respira em todas as propriedades Disney. A magia que vem desde o comprometimento de um adolescente que, ao fazer um estágio na Disney, serve os convidados com humor e mantém em ordem os espaços das atrações em que trabalha, deixando tudo sempre limpo e organizado, mesmo que em casa o seu ritmo seja lento e o seu quarto, bagunçado. A magia da riqueza de detalhes, que busca como enfeite um galo de Florença pintado em ouro para deixar uma atração o mais original possível.

Técnicas de liderança, práticas de gestão de pessoas, detalhes de processos e ambiente. Cuidados que são estudados, planejados e integrados há mais de meio século sobre a visão e os valores de uma empresa que satisfaz e encanta de forma sustentável gerações de clientes.

Que o convite à leitura deste livro possa aproximá-lo ainda mais de uma magia real que despertará um jeito próprio – o seu e o da sua empresa – de encantar clientes. Boa leitura!

David Lederman
Fundador da Lederman Consulting & Education,
organizadora e facilitadora dos programas oficiais
de treinamento do Disney Institute no Brasil.

Sumário

Introdução 11

Capítulo 1 - Atendimento ao estilo Disney 13
   Magia prática 17
   A magia na sua organização 19
   Definição de magia prática 22
   Apresentação do ciclo de atendimento de qualidade 27

Capítulo 2 - A magia do atendimento 33
   Revelação da guestologia 38
   Como conhecer e entender os convidados 41
   O poder do tema do atendimento 45
   A promessa do tema do atendimento 50
   O cumprimento da promessa 56

Capítulo 3 - A magia do elenco 59
   Como escalar o elenco para a primeira impressão 64
   Preparação do elenco para o atendimento 67
   Os comportamentos do atendimento de qualidade 72
   Pense globalmente. Execute localmente. 77
   A construção da sua cultura de desempenho 82

Capítulo 4 - A magia do cenário 87
   O cenário que proporciona atendimento 93
   Imaginação + Engenharia = *Imagineering* 97

Transmissão de uma mensagem com o cenário 100
Como orientar a experiência do convidado 104
Os cativados cinco sentidos 107
No palco e nos bastidores 110
Manutenção do cenário 113

Capítulo 5 - A magia do processo 117
Processo e combustão 123
Fluxo de convidados 126
Comunicação entre elenco e convidado 132
Atenção especial no atendimento 137
O processo de atendimento depurado 141

Capítulo 6 - A magia da integração 149
A construção do atendimento de qualidade 153
A matriz de integração 155
Integração do atendimento no Disney Vacation Club 157
Os três elementos dos momentos mágicos de atendimento 162
Uma última ferramenta: o *storyboard* 165

Introdução

Walt Disney cultivou os talentos do seu "elenco" e os inspirou com a sua visão para criar experiências inigualáveis de entretenimento. Ele sabia instintivamente que o seu sucesso de longo prazo dependia da capacidade de motivar as pessoas, um dia por vez e uma inovação por vez.

O ano de 2001 não apenas celebrou os cem anos do nascimento de Walt como também marcou outro importante aniversário para a The Walt Disney Company: os 15 anos de disponibilização dos programas de desenvolvimento profissional "A abordagem Disney" para organizações ao redor do mundo. Dezenas de milhares de profissionais de praticamente todos os setores visitaram o Disney Institute ao longo dos anos para aprender sobre o negócio por trás da magia. Eles descobriram que os programas do Disney Institute fazem muito mais do que proporcionar uma grande oportunidade de aprendizado. Também inspiram os participantes a olharem para si mesmos, suas organizações e o mundo sob uma luz completamente nova.

Desde o início, a educação foi uma característica distintiva da nossa empresa. Foi o próprio Walt quem disse: "Sempre tentamos nos orientar pela ideia básica de que, na descoberta do conhecimento, há uma grande dose de entretenimento – da mesma forma como, inversamente, em todo bom entretenimento sempre há uma semente de sabedoria, humanidade ou esclarecimento". Essa filosofia está profundamente imbuída em toda a programação.

Desde que Tom Peters e Bob Waterman apresentaram o perfil do Walt Disney World Resort no revolucionário livro de negócios *Vencendo a crise*, de 1984, e no vídeo que se seguiu, os olhos corporativos se voltaram cada vez mais ao Walt Disney World Resort como uma referência para as melhores práticas de negócios. Para facilitar o processo de *benchmarking*, "A abordagem Disney para a gestão de pessoas" foi criada em 1986.

Mas a fome corporativa por mais informações sobre os fatores de sucesso da Disney não poderia ser saciada por apenas um programa.

Ao longo dos anos, outros foram criados para cobrir as abordagens da Disney para serviços de qualidade, criatividade, inovação, liderança, fidelidade e excelência na cadeia de suprimento.

O Disney Institute tem hoje presença significativa no mundo do treinamento por sua capacidade de falar a língua dos líderes de diversos setores e personalizar conteúdo em programas que conectam, de maneira singular, os participantes com fatores individuais como herança, valores, pessoal e convidados.

Apesar de as tendências para o ambiente de trabalho irem e virem, as empresas sempre precisarão encontrar novas e criativas maneiras de capitalizar a inteligência, a paixão e a energia criativa de sua força de trabalho. E é disso que se trata o Disney Institute.

Neste livro, nós o levaremos aos bastidores para revelar as melhores práticas e filosofias da Disney em ação. Proporcionamos uma visão de *insider* para os princípios de atendimento de qualidade na prática, tanto no Walt Disney World, de acordo com o ponto de vista dos membros do elenco, quanto em outras organizações, conforme os executivos que participaram dos programas do Disney Institute. Os fundamentos ainda atuais de Walt Disney para o sucesso são: desenvolva o melhor produto que puder; dê às pessoas treinamento eficaz para sustentar um atendimento excepcional; aprenda com as suas experiências. E assim terá sucesso. Nunca deixará de crescer e acreditar.

Esperamos que este livro instigue novos níveis de desempenho, produtividade e orgulho na sua organização, ao compartilhar parte do que faz da nossa empresa um sucesso lendário ao longo dos anos. Esta obra é apenas um vislumbre de como fazemos magia todos os dias no Walt Disney World Resort. Nós o convidamos a vir e vivenciar por si mesmo os nossos programas.

Agradecemos à nossa editora, Wendy Lefkon, da Disney Editions, por ser a força orientadora na transformação deste projeto em uma realidade, a Ted Kinni pela ajuda na elaboração da nossa história, aos nossos clientes por compartilharem suas histórias com os leitores. E, acima de tudo, agradecemos aos muitos milhares de membros do elenco do Walt Disney World pelo empenho contínuo em fazer a diferença com os convidados e uns com os outros, todos os dias.

Capítulo 1

Atendimento ao estilo Disney

Kelvin Bailey começava a desconfiar que o seu chefe estava com um parafuso solto. "Nós dirigimos 15 ou 30 quilômetros e chegamos a um lugar horroroso, devastado", ele se lembra. "Água, pântanos, mato, jacarés. Ele deve ter enlouquecido, eu pensei – estamos no meio do nada! Com água até os joelhos! Eu não queria aquele terreno nem de graça".

Era meados dos anos 1960. O piloto corporativo Kelvin Bailey estava com Walt Disney no matagal da Flórida central, a sudoeste de Orlando, onde a The Walt Disney Company negociava a compra dos 12 mil hectares, ou 121 quilômetros quadrados, que passariam a ser conhecidos como Walt Disney World. Apesar de não ter vivido para ver o parque construído, Walt não tinha problemas em visualizá-lo no meio do mato. Ele indicava a Main Street, a Fantasyland e outras áreas não existentes para o piloto completamente embasbacado.[1] Mas nem mesmo esse mestre da criatividade poderia ter previsto o que viria a se tornar o maior complexo de parques temáticos do mundo ou, inclusive, o crescimento da empresa que, como ele gostava de lembrar às pessoas, "começou com um rato".

Walt sem dúvida era capaz de grandes sonhos. Sob a sua direção, a Disney Studios se tornara líder mundial em animações. O primeiro parque temático, a Disneylândia, foi a concretização da visão pessoal de Walt e foi ele quem fez com que a marca Disney fosse sinônimo do melhor em entretenimento familiar. Mas mesmo essas realizações foram simplesmente a base para o sucesso futuro da empresa. O rato de Walt viria a rugir.

The Walt Disney Company é, como caracteriza justificadamente Michael Eisner, ex-presidente do conselho e CEO, "uma obra em andamento". Entretanto, se vislumbrássemos a empresa na virada do milênio, teríamos em mãos um retrato da terceira maior empresa de mídia do mundo, formada por cinco grandes áreas de negócios: redes de mídia, estúdios de entretenimento, parques temáticos e resorts, produtos de consumo, internet além de marketing direto.

---

[1] As memórias de Kelvin Bailey sobre sua viagem com Walt Disney estão registradas em *Remembering Walt: favorite memories of Walt Disney*, de Amy Boothe Green e Howard Green (Disney Editions, 1999), p. 178-179.

O jeito Disney de encantar os clientes

Como Eisner informou aos acionistas da Disney, a empresa tem sete parques temáticos (e quatro outros em construção), 27 hotéis com 36.888 quartos, dois navios de cruzeiro, 728 lojas, uma rede de rádio e televisão, dez emissoras de TV, nove canais internacionais, 42 estações de rádio, um portal de internet, cinco grandes sites e participação em nove redes de cabo nos Estados Unidos. Além disso, nos anos 1990, a Disney ampliou sua coleção com 17 animações, 265 filmes e 1.252 episódios animados e 6.505 episódios *live action* (com atores) de TV.[2]

Os ativos da Disney produzem um invejável retorno sobre o investimento. O crescimento da receita corporativa atingiu uma média de 16% anuais desde 1945 e, ao longo dos últimos 15 anos, as ações das Disney tiveram um retorno anual composto de 24%. No ano contábil de 1999, o faturamento fechou em US$ 24 bilhões, dos quais mais de US$ 6,1 bilhões foram gerados pelos parques temáticos.

Em 1996, os parques temáticos da Disney, em eterno crescimento, já tinham sido visitados por mais de 1,2 bilhão de pessoas. Em 1997, a Disney já tinha seis deles que ocupavam os seis primeiros lugares em termos de visitação mundial, um grande feito no setor.[3] Graças ao *insight* e à visão de seu criador, o Walt Disney World Resort, em Orlando, Flórida, é o maior de todos eles.

O complexo ao todo conta com quatro parques temáticos, três parques aquáticos, 27 hotéis (incluindo hotéis de propriedade de outras empresas) com mais de 25 mil quartos e quase 300 restaurantes e lanchonetes. E inclui ainda o Downtown Disney, um distrito de entretenimento e compras, o Disney Institute, braço educacional do complexo, e até mesmo um pavilhão de casamentos (o Wedding Pavilion, onde milhares de cerimônias foram realizadas desde 1991).

---

[2] O inventário de Michael Eisner foi incluído em sua carta aos acionistas no relatório anual de 1999 da The Walt Disney Company.
[3] Ver artigo de Marty Sklar, vice-presidente do conselho da *Walt Disney Imagineering em Designing Disney's theme parks*: the architecture of reassurance (Flammarion, 1997).

Trata-se de uma cidade de porte razoável localizada em uma área com aproximadamente o dobro do tamanho de Manhattan. O Walt Disney World é o maior empregador em um único local dos Estados Unidos e funciona todos os dias da semana, o ano inteiro. É operado por uma força de trabalho de mais de 55 mil "membros do elenco" – como a Disney chama os funcionários. (Para ter uma ideia da escala, pense que meia dúzia de médicos trabalham no Walt Disney World dedicados exclusivamente aos convidados.) Essa cidade pode ter centenas de milhares de pessoas em um dia cheio. O elenco entretém e serve milhões de "convidados" (sim, é assim que a Disney chama os clientes) todos os anos. Qual é a energia que movimenta essa cidade? A *magia*.

MAGIA PRÁTICA

"Magia" não é uma palavra muito usada no mundo corporativo. Ela não é listada nos balanços patrimoniais (apesar de ser possível dizer que intangíveis contábeis como "reputação" incluem a magia). O seu pessoal da contabilidade provavelmente não mensura o retorno sobre o investimento da magia, nem amortiza a magia no período de 30 anos. Contudo, magia é uma palavra comum nos círculos executivos da The Walt Disney Company.

"A magia de passar as férias na Disney", diz Michael Eisner, "é para mim a magia da qualidade, a magia da inovação, a magia da beleza, a magia de encontros familiares, a magia dos nossos membros do elenco. Todas essas coisas meio que se misturam".[4]

Só porque não é possível atribuir um valor quantificável à magia não quer dizer que ela não exerça um papel poderoso na Disney e em outras empresas ao redor do mundo. Na verdade, é fácil ver os efeitos da magia nos negócios, particularmente em um lugar como o Walt Disney World. Basta observar os convidados. A criança que vê o Mickey pela primeira vez, em tamanho natural e pessoalmente;

---

[4] A citação foi tirada do manual do participante do seminário "A abordagem da Disney ao atendimento de qualidade para profissionais da saúde", do Disney Institute.

o adolescente que acaba de sair da queda livre de 13 andares do The Twilight Zone Tower of Terror; ou os pais que voltam ao hotel depois de um longo dia e encontram um Ursinho Puff de pelúcia com biscoitos e leite esperando pacientemente na cama pelos filhos. Cada um desses é um momento mágico no qual o vínculo entre o cliente e a empresa é forjado e fortalecido. Cada um contribui com outro pequeno incremento para o índice de retenção do cliente de mais de 70% do Walt Disney World.

Pense por um momento em um espetáculo de mágica. Para a plateia, a apresentação evoca sentimentos de encantamento e surpresa. A maioria das pessoas não faz ideia de como o mágico cria os efeitos que são mostrados no palco. Não saber como uma ilusão é criada e simplesmente apreciar o espetáculo constitui grande parte da diversão. A perspectiva do mágico é diferente. Para o mágico, o show é uma tarefa altamente prática, uma série de passos que podem ser repetidos, concebidos para criar um resultado fixo e encantar a plateia.

A mesma coisa acontece no Walt Disney World e em todas as outras empresas que criam experiências mágicas para o cliente. A surpresa feliz que um cliente bem atendido sente é o resultado de muito empenho por parte da empresa e seus funcionários. Para o cliente, a magia é uma fonte de encantamento e prazer. Para a empresa e seus funcionários, é uma questão muito mais prática.

"A Disney realmente desvendou a magia prática. Não que consigamos reproduzi-la perfeitamente a cada vez, mas chegamos muito, muito perto", explica Michael Eisner. "Você pode ir a qualquer lugar no mundo e ver isso em ação. Visite o Animal Kingdom em Lake Buena Vista ou faça um dos nossos cruzeiros para a ilha da Disney, a Castaway Cay. Se você olhar para o rosto das pessoas, verá que a Disney ainda sabe como encantar as pessoas, retirá-las de suas vidas estressantes ou ocupadas demais e conduzi-las por experiências repletas de encantamento e empolgação".[5]

---
[5] Ver entrevista de Michael Eisner a Suzy Wetlaufer, "Common sense and conflict", na *Harvard Business Review* de jan./fev. 2000.

Durante anos, os membros do elenco da Disney falaram em "espalhar pó de fada" de modo a criar experiências mágicas para seus convidados. Mas não é possível identificar o pó de fada como um item individual em qualquer relatório de despesas da Disney. O pó de fada é o espetáculo que foi criado – que se desenrola no Walt Disney World do momento em que os convidados chegam até o momento em que saem para voltar para casa.

Neste livro, como na sequência de abertura de "O maravilhoso mundo da Disney", que tantos de nós assistimos na TV nas noites de domingo, puxaremos as cortinas e daremos uma olhada na magia prática da Disney. Exploraremos o negócio por trás da magia: como a empresa conseguiu se transformar em um referencial de excelência para o atendimento mágico, quais realmente são os principais ingredientes do pó de fada e, o mais importante, como criar a sua própria marca de magia prática.

A MAGIA NA SUA ORGANIZAÇÃO

Muito provavelmente você não trabalha em um parque temático como o Walt Disney World. Talvez a sua empresa produza peças para aeronaves ou venda software on-line ou talvez nem ao menos faça parte do mundo dos "negócios". Você pode trabalhar em uma escola, um hospital ou uma entidade governamental. Possivelmente, à primeira vista, a magia da Disney não pareça se adequar ao seu negócio. Então talvez seja o momento de expandir seus horizontes.

Os facilitadores do Disney Institute usam um exercício simples para ajudar os convidados (no caso, as centenas de milhares de pessoas de mais de 35 países e 40 mercados que vêm ao Disney Institute conhecer o negócio por trás da magia) a entenderem como a Disney na verdade é semelhante às suas empresas e instituições. Eles perguntam às turmas: Quais são os desafios que as suas organizações estão enfrentando? As respostas normalmente são rápidas e incisivas: maior concorrência, dificuldades com mão de obra, aprender a firmar parcerias com mais eficácia, satisfação do cliente e assim por diante. É uma lista conhecida. A Disney, os facilitadores respondem, enfrenta exatamente os mesmos desafios:

- O sucesso gera concorrência e a concorrência é tão acirrada quanto nunca no negócio dos parques temáticos. Um rival investiu mais de 1 bilhão de dólares em um parque a apenas 15 quilômetros do Walt Disney World. E a concorrência não se restringe aos parques temáticos; quando executivos da Harley-Davidson, Inc. foram ao Disney Institute, eles sugeriram que a empresa era uma concorrente da Disney, já que ambas visam a renda excedente dos consumidores.

- O Walt Disney World emprega 55 mil pessoas na região de Orlando. Elas trabalham sob dez acordos de negociação coletiva com 32 sindicatos e em 1,5 mil diferentes classes de emprego. Espera-se que todos se empenhem.

- A necessidade de proporcionar aos convidados uma diversidade cada vez maior de experiências levou o Walt Disney World a trazer novos parceiros a suas propriedades. O desafio é manter os padrões Disney em restaurantes e hotéis que não são de propriedade da empresa e fazer com que a transição entre as empresas seja imperceptível para os convidados.

- Por fim, o clássico enigma do atendimento. A retenção do cliente requer a sua satisfação, mas a satisfação do cliente é um alvo em constante movimento. Os consumidores em geral estão mais exigentes do que nunca, e com razão. Além disso, para encantar os convidados que voltam ao Walt Disney World é necessário elevar os padrões de atendimento a cada visita.

Você tem mais em comum com a Disney do que apenas desafios de negócios. Sob os elementos visíveis das nossas organizações, todos estamos voltados à mesma meta – atender bem as pessoas que compram os nossos produtos e serviços. Não importa se você os chama de clientes, colaboradores ou pacientes, todos devemos satisfazer os nossos convidados ou arriscamos perdê-los.

Até mesmo as organizações tradicionalmente conhecidas como empresas de produtos perceberam que também estão no negócio dos serviços. Todo negócio tem processos baseados em atendimento. Nós recebemos pedidos, criamos produtos que se adaptam a necessidades específicas e os entregamos de acordo com as instruções do cliente. Todos têm clientes e todos precisam saber como criar a magia do atendimento.

Por fim, por mais estranho que possa parecer, nos dias de hoje todos estamos no *show business*. Em seu livro publicado pela Harvard Business School Press, *O espetáculo dos negócios*, B. Joseph Pine II e James Gilmore sugerem que testemunhamos a morte da economia industrial, que se concentrou unicamente na produção eficiente de bens, e passamos também pelo auge da economia dos serviços, que incorporava agregados de serviços a produtos para torná-los mais atraentes aos clientes. Agora, segundo os autores, estamos entrando em uma nova era de concorrência que eles chamam de economia da experiência. Produtos e serviços não passam de acessórios para envolver o cliente nesta nova era. Os clientes querem experiências memoráveis e as empresas devem se tornar encenadoras de experiências.

Pine e Gilmore fazem questão de descrever a natureza efêmera das experiências. "No entanto, apesar de o *trabalho* do encenador de experiências se encerrar após o espetáculo, o *valor* da experiência permanece na memória de qualquer pessoa envolvida no evento", escrevem os autores (os itálicos são deles). O conceito se parece muito com a magia prática. Eles usam a Disney como exemplo de uma notável encenadora de experiências. "A maioria dos pais", eles prosseguem, "não leva os filhos ao Walt Disney World só pelo evento em si, mas para fazer da experiência compartilhada parte das conversas de família por meses e mesmo anos depois".[6]

É fácil imaginar Walt Disney assentindo em concordância com essas ideias. Como veremos em detalhes mais adiante, quando Walt

---

[6] Ver *The experience economy* de B. Joseph Pine II e James H. Gilmore (Harvard Business School Press, 1999), p. 11-12. Publicado no Brasil como *O espetáculo dos negócios* (Campus, 1999).

mergulhou na criação da Disneylândia no início dos anos 1950, ele se concentrou totalmente na experiência do convidado. Na verdade, a própria ideia da Disneylândia nasceu durante passeios dominicais a parques de diversões que Walt fazia com as duas filhas. Naquela época, os parques de diversões não tinham a melhor das reputações e eram muitas vezes sujos e em mau estado de conservação. Enquanto esperava que as filhas se divertissem nos brinquedos, o bem-sucedido animador passou a observar os outros clientes e como eles reagiam aos parques. Ele se perguntava: Como essa experiência poderia ser melhorada?

A resposta de Walt foi criar um novo tipo de parque de diversões e, desde o início, a Disneylândia e todos os parques temáticos da empresa foram intensamente focados na experiência do convidado. Ao conversar com os membros do elenco da Disney sobre os parques, você ouvirá descrições de "filmes vivos", filmes nos quais os próprios convidados participam. Como se a frase dispensasse a necessidade de maiores explicações, o próprio Walt simplesmente dizia que "A Disneylândia é um espetáculo".[7] Com a injeção de alguma magia prática, a sua empresa também pode ser um espetáculo.

DEFINIÇÃO DE MAGIA PRÁTICA

Os parques temáticos da Disney e seus inúmeros membros do elenco fazem uma distinção clara entre palco e bastidores. Na linguagem da Disney, os membros do elenco estão no palco sempre que presentes nas áreas públicas dos parques e diante dos convidados. Eles estão nos bastidores quando não são vistos pelos convidados nas várias áreas do parque onde é realizado o trabalho diário de operar uma cidade dedicada ao entretenimento.

A magia prática também tem componentes de palco e bastidores. No caso, o componente de palco da magia prática é a reação que ela produz nos convidados quando tudo ocorre em uma apresentação contínua, aparentemente sem esforço. O componente dos bastidores

---

[7] A citação foi tirada de *Walt Disney: famous quotes* (Disney Kingdom Editions, 1994).

é constituído pelos detalhes que criam a magia prática. Ele inclui todas as operações que resultam na magia do palco. Passaremos a maior parte deste livro explorando o componente dos bastidores, um processo que se repete indefinidamente que a Disney chama de ciclo de atendimento de qualidade. Estendendo ainda mais a metáfora do teatro, podemos pensar na "magia prática" como o nome artístico do ciclo de atendimento de qualidade, o nome com menos lantejoulas para o trabalho que produz a magia.

Antes de explorarmos os elementos desse ciclo e como eles funcionam, devemos deixar claro o que a Disney quer dizer quando fala em atendimento de qualidade. Felizmente, trata-se de uma definição livre de jargões e de fácil entendimento. *Atendimento de qualidade significa superar as expectativas dos convidados e prestar atenção aos detalhes.* Se essa definição lhe soar menos que espantosa, pense em como você se sente quando descobre como um truque de mágica é feito. De repente, tudo parece muito simples. Da mesma forma como um show de mágica, não há nenhuma feitiçaria mística por trás do sucesso da Disney e qualquer um pode aprender e adaptar a fórmula da empresa para a magia prática. O desafio é por em prática os dois requisitos da definição do atendimento de qualidade, o que é muito mais difícil de fazer do que dizer.

O Fator Uau

Além de familiares e amigos, cada convidado leva algo mais ao Walt Disney World: expectativas, e com frequência expectativas muito altas. Encantar os clientes, ou, para tomar de empréstimo uma palavra de Tom Peters, encontrar o "uau", significa não apenas satisfazer as noções preconcebidas de como deveriam ser as férias na Disney como também superá-las. Da mesma maneira, é preciso primeiro satisfazer e então exceder as expectativas dos seus clientes se quiser desenvolver uma reputação pelo atendimento de qualidade.

Muitas empresas encantam seus clientes ocasionalmente. Alguém faz muito mais do que o esperado, soluciona um problema e conquista a imensa gratidão de um cliente. Talvez esse funcionário ganhe uma vaga especial no estacionamento por um mês ou um vale-pizza. A história será contada e recontada, talvez até mesmo incluída no folclore corporativo – mas depois tudo volta à rotina. E isso não basta.

No Walt Disney World Resort, superar as expectativas dos convidados é um dever e, se você observar atentamente o resort, verá como isso funciona diariamente em uma infinidade de ocasiões. É algo que transparece na disposição da *hostess* de um restaurante a não apenas indicar o caminho quando você está perdido, mas também deixar o posto para levá-lo até o seu destino. Algo percebido no fim de um dia de compras no Downtown Disney quando o caixa se dá ao trabalho de descobrir quem você é e se vai ficar no resort, então recomenda o barco gratuito de volta ao hotel e oferece um mapa para chegar às docas. Nos programas do Disney Institute, os facilitadores não se surpreendem quando ouvem os convidados contarem histórias como essas toda manhã. "Esse é o trabalho do elenco", é a resposta incisiva deles.

Como veremos, o atendimento pessoal extraordinário é apenas um dos elementos do trabalho de superar as expectativas do convidado. Ele implica dar muita atenção a cada aspecto da experiência do convidado. Significa analisar essa experiência do ponto de vista do convidado, conhecer suas necessidades e desejos e usar todos os elementos do negócio – do design de cada elemento da infraestrutura à interação entre convidado e elenco – para criar uma experiência excepcional para cada um deles.

Como bater a cabeça na lâmpada

A Disney como um todo é obcecada pela atenção aos detalhes. O fundador Walt Disney era famoso por isso e cuidava para que todos fizessem o mesmo.

As sementes da obsessão da empresa foram plantadas durante os primeiros anos da Disney, quando o único negócio era a produção de filmes animados. A animação é uma arte rigorosa. Vinte e quatro quadros por segundo, cada um a imagem estática de um pequeno

Atendimento ao estilo Disney

momento, devem se unir para criar uma história, um mundo projetado e povoado por personagens. A capacidade de mobilizar a mente e as emoções da plateia é totalmente dependente da profundidade e uniformidade da visão do animador. Não há um ator famoso para carregar o peso, nenhum cenário natural espetacular.

Walt levou a atenção aos detalhes inerente à arte do animador a todos os empreendimentos da sua empresa e essa tradição é mantida até os dias de hoje. Atualmente, ela é transmitida pelo lema "batendo a cabeça na lâmpada", uma história que Michael Eisner gosta de contar.

A expressão "bater a cabeça na lâmpada" nasceu durante as filmagens de "Uma cilada para Roger Rabbit", da Walt Disney Pictures. O filme foi uma mistura inovadora de filmagens com atores e animação. Na cena, o personagem principal, Bob Hoskins, bate com a cabeça em uma lâmpada pendurada no teto. A lâmpada balança de um lado ao outro, movimento acompanhado pela sua sombra. Durante a produção, a lâmpada e a sombra apareciam no filme da mesma forma como apareceriam no mundo real. Mas o que aconteceu quando o astro animado Roger Rabbit foi acrescentado à cena? É isso mesmo, nenhuma sombra passou pelo rosto do nosso espirituoso herói.

A maioria dos expectadores não notaria a diferença e a cena certamente poderia ter sido filmada sem que Hoskins batesse com a cabeça na lâmpada. Mas os animadores se certificaram de que o sombreamento do corpo de Roger Rabbit incluísse com precisão a sombra em movimento provocada pela lâmpada nos 24 quadros de cada segundo da cena. Eles prestaram atenção aos detalhes e superaram as expectativas em seu comprometimento com uma experiência de qualidade para o convidado.

"Começamos com um conceito forte – no caso, a história –, contratamos o melhor pessoal para concretizá-lo e *batemos com a cabeça na lâmpada*", diz Eisner.[8]

A atenção aos detalhes no Walt Disney World tem o mesmo nível de intensidade. Você a verá nas portas dos quartos do hotel, que têm

---

[8] A história é contada por Michael Eisner em um segmento de vídeo do programa de atendimento de qualidade do Disney Institute.

dois olhos mágicos: um na altura normal e outro na altura dos olhos de uma criança. E também nos intervalos regulares de oito metros entre as latas de lixo – os designers do parque descobriram exatamente a distância que uma pessoa média carregaria lixo antes de jogá-lo no chão. Observe essas latas de lixo enquanto passa de uma área a outra do Reino Mágico: você perceberá que o design muda para refletir o tema de cada área.

***

Exceder as expectativas dos convidados e prestar atenção aos detalhes são tarefas inextricavelmente interligadas. Ao administrar os detalhes, a Disney excede repetidamente as expectativas do convidado. Talvez eles nunca cheguem a ser notados de forma consciente – a atenção dos convidados nunca é interrompida por algo que deveria estar lá, mas não está. Quando a experiência é uniforme, ininterrupta e de alta qualidade, os convidados voltam. E então chegam com expectativas ainda mais elevadas, o que, por sua vez, leva a Disney a dar atenção ainda maior aos detalhes. Tudo isso reforça o atendimento de qualidade na Disney e também pode ser aplicado à sua organização.

Exceder as expectativas e administrar os detalhes são duas ações que você pode empreender para criar magia prática para os seus clientes, mas elas não são, por si só, suficientes para impulsionar o trabalho diário com o atendimento de qualidade. Podemos simplesmente instituir que todas as pessoas nas nossas empresas devem provocar o "uau" dos clientes e bater a cabeça na lâmpada, mas os resultados sem dúvida deixarão algo a desejar. Há uma grande chance de que os funcionários mais proativos saiam correndo em direções opostas implementando versões próprias desses dois trabalhos e os demais fiquem para trás, pouco à vontade, até finalmente perguntarem: Como exatamente vocês esperam que façamos isso?

Essa pergunta, que é absolutamente lógica, é respondida com o ciclo de atendimento de qualidade da Disney. Esse é o processo praticado por toda a empresa e que gera o atendimento de qualidade.

É o processo de produção pelo qual a magia prática é criada. Basicamente, o ciclo cria uma visão compartilhada para o atendimento e alinha os principais elementos que toda organização tem em comum – pessoal, infraestrutura e processos – em um esforço coeso e abrangente de concretizar essa visão.

A maior parte deste livro é dedicada a explorar como o ciclo funciona e como ele é aplicado na Disney e em uma série de outras organizações, comerciais e institucionais, que utilizaram o Disney Institute como fonte de ideias e conceitos para criar suas próprias estratégias de atendimento.

APRESENTAÇÃO DO CICLO DE ATENDIMENTO DE QUALIDADE

No Disney Institute, o ciclo de atendimento de qualidade é composto de quatro elementos principais: o tema do atendimento, padrões de atendimento, sistemas de atendimento e integração. O ciclo pode ser visto como uma espiral contínua com os clientes ou convidados no centro do círculo.

A magia do atendimento

Para a Disney, o ciclo de Atendimento começa no centro do circuito, com as necessidades, desejos, percepções e emoções dos convidados.

A Disney chama a arte e a ciência de conhecer e entender os clientes de "guestologia" – neologismo derivado de "*guest*", a palavra em inglês para "convidado". As informações proporcionadas pela guestologia compõem a base para o movimento pelo ciclo. Isso ajuda a definir um direcionamento inicial e, à medida que novas informações são coletadas, elas são utilizadas para realizar ajustes finos e melhorar o desempenho.

O ciclo de atendimento de qualidade é centrado no *tema do atendimento* de uma organização. O tema do atendimento é uma declaração simples que, quando compartilhada com todos os funcionários, se torna a força impulsionadora do atendimento. Na Disney, esse tema é: *Criar felicidade para pessoas de todas as idades, por toda parte.* Essa visão atua como um grito de guerra. Ela alinha as ações dos membros do elenco e estabelece uma base para seu comportamento em relação aos convidados. Para a administração, o tema do atendimento se torna um preceito orientador. Cada decisão deve passar pelo seu crivo. Uma importante prova de fogo administrativa é determinar se uma decisão sustenta ou não o tema do atendimento.

Os *padrões de atendimento* estabelecem os critérios para ações necessárias para concretizar o tema do atendimento e servem como medidas para o atendimento de qualidade. O Walt Disney World tem quatro padrões de atendimento. Em ordem de importância, são eles: *segurança, cortesia, espetáculo e eficiência*. Como veremos mais adiante, eles são classificados prioritariamente, o que orienta com ainda mais clareza as ações dos membros do elenco e facilita a tomada de decisão nos parques.

Cada negócio deve ter um tema de atendimento único e os próprios padrões de atendimento. No Capítulo 2, veremos como um tema de serviço e padrões de atendimento são criados e utilizados na Disney e em uma série de outras organizações e discutiremos as ferramentas e técnicas básicas da guestologia.

Definidos o nosso tema e os padrões de atendimento, passamos para os sistemas de atendimento do ciclo de atendimento de qualidade. Todas as empresas têm em comum três sistemas de atendimento: funcionários, cenário e processos. Cada um desses sistemas é explorado, por sua vez, nos Capítulos 3, 4 e 5.

A magia do elenco

Nas últimas décadas, organizações por toda parte passaram a perceber que os funcionários são os seus ativos mais importantes. Isso é particularmente verdadeiro no atendimento de qualidade. Em muitas ocasiões, os funcionários estão na linha de frente, cara a cara com os clientes. E, mesmo quando não estão em contato direto com os clientes, controlam a operação dos processos pelos quais o atendimento é realizado. Os parques temáticos da Disney mensuram o impacto do elenco sobre a experiência do convidado há mais de 40 anos. Qual é um dos motivos mais frequentes que levam os convidados a voltarem para outra visita? O elenco.

"Nada define com tanta visibilidade os parques da Disney como a cordialidade e o comprometimento dos nossos membros do elenco ao longo dos anos e a apreciação que os convidados sentem pelo modo como são tratados", escreve Michael Eisner.[9] Essa declaração e os resultados subjacentes certamente orgulhariam Walt Disney. Afinal, um elenco amistoso, acessível e prestativo foi um elemento importante de sua visão para um novo tipo de parque de diversões desde o início.

Preparar o elenco é uma tarefa essencial que começa com a apresentação e divulgação por toda a organização de um conjunto genérico de padrões de aparência e comportamento. Na Disney, todo novo membro do elenco aprende essas *dicas de apresentação* durante a primeira experiência prática no trabalho, o programa de orientação Disney Traditions. Um aspecto desse treinamento que você já conhece é a linguagem. As palavras utilizadas para descrever os clientes, o trabalho, os funcionários e assim por diante também sugerem como se espera que os membros do elenco abordem suas funções.

Como em outras organizações, os membros do elenco do Walt Disney World exercem um enorme número de papéis. Dessa forma, grande parte do trabalho de transmitir ao elenco as informações e ferramentas necessárias deve ser conduzida na prática. Isso requer a criação de *culturas de apresentação* específicas para cada local de trabalho. Uma cultura de apresentação é um conjunto de comportamentos, trejeitos, termos e valores que são ensinados a novos membros do elenco quando eles entram no local de trabalho.

Tanto as dicas genéricas de apresentação, que definem o comportamento por toda a organização, quanto a cultura de apresentação específica ao cargo e o local específico de trabalho são utilizadas para desenvolver as habilidades e o talento do elenco. Elas também proporcionam uma referência para a avaliação e o aperfeiçoamento.

---

[9] Ver livro de Michael Eisner, *Work in progress*: risking failure surviving success (Hyperion, 1999), p. 228.

A magia do cenário

Na linguagem da Disney, o cenário é onde quer que os clientes se encontrem. Independentemente de esse local ser uma loja, um hospital, um site ou mesmo uma central de atendimento telefônico, o cenário que os clientes vivenciam exerce um papel crítico em sua percepção do encontro com a organização. A importância de gerenciar o efeito do cenário sobre a experiência do convidado pode ser resumida em três palavras: *Tudo faz diferença*.

Vejamos um breve exemplo da história da Disney. John Hench, um dos primeiros *imagineers* (os sujeitos que projetam e constroem todos os parques temáticos) da Disney, se recorda de observar o requinte de Walt Disney em relação a um cenário: "Eu fiquei absolutamente impressionado com a forma como Walt criava uma espécie de transição ininterrupta, como em um filme, ao passar de uma área da Disneylândia à outra. Ele chegava a insistir na alteração da textura do calçamento no limiar de cada ambiente porque, segundo ele, 'Obtemos informações sobre a mudança no ambiente com as solas dos pés'".[10]

No Walt Disney World Resort, "tudo faz diferença" significa que cada detalhe, das maçanetas às salas de jantar, transmite uma mensagem aos convidados. A mensagem sendo transmitida deve ser coerente com o tema e os padrões de atendimento e deve sustentar e estender o espetáculo que estiver sendo criado. E, na próxima vez que visitar o Reino Mágico, divirta-se prestando atenção ao que os seus pés sentem quando você caminha de uma área temática à outra.

O cenário inclui o ambiente, os objetos no ambiente e os procedimentos que elevam a qualidade do ambiente. Exploraremos várias maneiras específicas de trabalhar com o cenário no ciclo de atendimento de qualidade: veremos como ele pode incorporar padrões de atendimento, orientar a experiência do convidado e como pode usar todos os sentidos deste convidado.

---

[10] A citação de John Hench foi tirada de *Remembering Walt*: favorite memories of Walt Disney, de Amy Boothe Green e Howard Green (Disney Editions, 1999), p. 156.

A magia do processo

Os processos muitas vezes englobam e utilizam tanto o elenco quanto o cenário e incluem o sistema de prestação do atendimento mais importante na maioria das organizações. No Walt Disney World, os processos de atendimento incluem conduzir os convidados pelas atrações, os processos de *check-in* e *checkout* nos hotéis do resort e a reação a emergências, como problemas médicos e incêndios.

Cada processo tem pontos de combustão. Esses são os pontos nos quais até mesmo um processo muito bem ajustado pode falhar (especialmente quando centenas de milhares de convidados forçam a sua capacidade) e, em vez de contribuir para uma experiência positiva do cliente, passam a transformar o dia agradável de um convidado em um dia ruim. É impossível eliminar completamente os pontos de combustão, mas a meta é impedir que eles se transformem em pontos de explosão.

Um exemplo que os facilitadores da Disney gostam de utilizar envolve um problema comum no estacionamento. Os convidados com muita frequência se esquecem de onde deixaram o carro oito ou dez horas antes, no início de um longo dia de diversão. As áreas recebem nomes, as filas são numeradas e os bondes elétricos que transportam os convidados até a entrada anunciam esses indicadores de localização como um lembrete, mas carros são inevitável e regularmente perdidos.

Em vez de deixar os convidados desamparados e perambulando pelo local, membros do elenco do estacionamento criaram um recurso de atendimento. Como as vagas do estacionamento são preenchidas na ordem, os motoristas dos bondes começaram a fazer uma lista simples relacionando em que fila estavam trabalhando em determinado horário da manhã. As listas são copiadas e distribuídas aos membros do elenco do estacionamento no fim do dia, de forma que, se os convidados puderem lembrar mais ou menos a hora em que chegaram, um membro do elenco pode lhes informar aproximadamente onde estacionaram. Ponto de combustão neutralizado.

Os ajustes do processo, como no problema dos carros perdidos, é uma das questões que exploraremos em mais detalhes. Também analisaremos três outras questões baseadas em processos que injetam qualidade na experiência do convidado: comunicação entre elenco e convidado, ou como garantir que o elenco pode solucionar os problemas do convidado; fluxo de convidados ou "Qual é o tamanho dessa fila?"; e atenção especial ao atendimento, ou como lidar com convidados que não podem utilizar um processo de atendimento.

A magia da integração

O último elemento do ciclo de atendimento de qualidade é a integração. Integração significa simplesmente que cada elemento do ciclo se combina para criar um sistema operacional completo. Elenco, cenário e processo se fundem na busca do tema e dos padrões de atendimento. O resultado é uma experiência de qualidade excepcionalmente alta para o convidado, o que impulsiona o sucesso de todas as organizações conhecidas pela excelência em serviços.

A integração é um processo lógico, passo a passo. Apresentaremos uma matriz facilmente adaptável como um guia para atingir a integração com sucesso. A Matriz de Integração não apenas serve como plano de combate para atingir o atendimento de qualidade, como também pode ser utilizada para identificar imperfeições na resolução de problemas de atendimento e comparar as práticas de outras organizações, incluindo a Disney.

Capítulo 2

A magia do atendimento

A magia do atendimento

Em 1928, o Mickey varreu as bilheterias como um furacão e, desde então, se tornou um ícone global. O rato dos quadrinhos, nascido da imaginação e da voz de Walt Disney e do talento artístico de Ub Iwerks, o primeiro de uma longa linhagem de mestres da animação da Disney, não foi, contudo, uma estrela instantânea. Apesar de Walt Disney oferecer ao público o primeiro desenho animado com trilha sonora, ele não conseguiu encontrar uma distribuidora disposta a levar o rato às salas de cinema.

Foi um operador e promotor de cinema de Nova York chamado Harry Reichenbach quem finalmente ofereceu uma solução a Walt. "Esses sujeitos não sabem o que é bom até que o público lhes diga", disse o sr. Reichenbach sobre os distribuidores. E convenceu Walt a exibir "O vapor Willie" em seu cinema por duas semanas. Foi um sucesso de público e, exatamente como ele tinha previsto, os distribuidores fizeram fila para contratar a Disney e o seu rato.

Walt aprendeu uma importante lição sobre o poder do público da Disney. Quando quis lançar "A dança dos esqueletos", a primeira da inovadora série de animações *Silly Symphonies*, em 1929, os distribuidores o rejeitaram mais uma vez. Dessa vez, queriam "mais camundongos". Então Walt foi diretamente ao público e a aceitação novamente levou a acordos de distribuição. E, em 1948, quando se viu em dificuldades para encontrar apoio para a distribuição de "Seal Island", o primeiro filme de natureza/aventura da Disney, Walt recorreu outra vez ao público para obter a ajuda da qual precisava. E conseguiu.[1]

Pegue um grupo de pessoas em qualquer importante área urbana do mundo e pergunte a eles sobre Walt Disney. Eles invariavelmente associarão o homem ao nome de um personagem animado, um filme ou parque temático. Ele deveria ser tão famoso por suas realizações quanto um guestologista. Apesar de ser um mestre em conhecer e entender os clientes, ele sem dúvida nunca ouviu falar de conceitos de atendimento como "foco no cliente", "proximidade com o cliente"

---

[1] Para mais detalhes sobre o papel do público, ver *Walt Disney*: an american original, de Bob Thomas (Hyperion, 1994).

e "centrado no cliente". Mesmo assim, com seu estilo direto, típico do Meio-Oeste americano, Walt claramente entendia que os clientes eram os juízes mais importantes – e finais – do entretenimento produzido em sua empresa.

"Não buscamos entreter os críticos", ele dizia. "Eu prefiro apostar no público".[2] Mas, como todos os melhores guestologistas, Walt normalmente não assumia grandes riscos. Ele invariavelmente coletava as opiniões dos clientes da empresa e incorporava os conselhos recebidos ao ajuste de suas ideias.

O famoso ator Kurt Russell, que passou a adolescência fazendo filmes para a Disney, se surpreendia com a atenção que o chefe do estúdio lhe dedicava. "Algumas vezes ele descia ao set e perguntava: 'Você quer ver parte do filme que estamos montando?'. Então eu assistia a um filme ou partes de um filme com ele e conversávamos a respeito e ele me fazia perguntas", lembra Kurt. "O interessante em Walt, olhando para trás agora, é que ele estava explorando a mente de um expansivo garoto de 13 anos. Ele perguntava: 'O que você acha disso?' e trocávamos ideias e opiniões a respeito. Acho que ele queria descobrir como funcionava a mente de um garoto".[3]

A motivação de Walt para descobrir o que e como uma plateia pensava se estendeu para a Disneylândia. Na próxima vez que passar pelos túneis arqueados da entrada da Disneylândia e sair na Main Street, USA, olhe à esquerda, para a Fire Station (Corpo de Bombeiros), localizada ao lado da City Hall (Prefeitura). O prédio fica em frente à Town Square (Praça Principal). Se observar a fachada, você verá uma lâmpada acesa em uma das janelas do segundo andar. A luz é um tributo a Walt Disney; ela ilumina o pequeno apartamento que ele usava como quartel general ao supervisionar a construção do parque e seus primeiros dias de operação. Da janela daquele apartamento, Walt observava os convidados da Disneylândia enquanto eles vivenciavam as primeiras impressões do parque.

---

[2] A citação foi tirada de *Walt Disney*: famous quotes (Disney Kingdom Editions, 1994), p. 9.

[3] A citação de Kurt Russell foi tirada de *Remembering Walt*: favorite memories of Walt Disney (Disney Editions, 1999), p. 45.

Apesar de a imagem de Walt espiando a multidão de cima poder transmitir a ideia de que ele era tímido quanto a encontros pessoais com os convidados, nada poderia estar mais longe da verdade. Ele não apenas adorava compartilhar a experiência da Disneylândia como costumava caminhar regularmente pelo parque, observando as reações dos convidados.

Tony Baxter, que acabou se tornando um vice-presidente sênior da Walt Disney Imagineering e atuou como designer executivo da Disneyland Paris, teve vários cargos na Disneylândia na adolescência e levava a irmã mais nova ao parque. Ela brincava enquanto Baxter trabalhava. Um dia, a irmã e um amigo viram Walt no parque e o seguiram até a atração It's a Small World. Os três fizeram o passeio de barco pela atração e, no fim, Walt perguntou se haviam gostado o suficiente para repetir o passeio. Sim, foi a resposta. Walt respondeu: "Então vocês precisam cantar a música desta vez" e o trio, duas crianças e o líder de um império empresarial, fizeram juntos o segundo passeio.[4]

Quando sugeriram que um prédio da administração fosse construído na Disneylândia, Walt se opôs veementemente. "Eu não quero que vocês fiquem sentados atrás de mesas. Quero vê-los no parque, observando o que as pessoas estão fazendo e descobrindo como fazer o local ser mais prazeroso para elas".[5] Quando descobriu que o pessoal estava saindo da propriedade para comer, Walt ficou furioso: "Fiquem na fila com as pessoas e, pelo amor de Deus, não saiam para comer como vocês têm feito. Comam no parque e ouçam as pessoas!".[6]

O resultado mais impressionante da vigorosa ênfase de Walt em conhecer e entender os clientes é o próprio Walt Disney World. No fim dos anos 1950, Walt já planejava um novo parque em algum ponto do leste dos Estados Unidos, mas não estava 100% certo de que um parque no estilo da Disneylândia atrairia os moradores da

---

[4] Tony Baxter conta essa história em sua entrevista a Didier Ghez no número 22 da "E" Ticket Magazine.
[5] Ver *Walt Disney*: an american original, de Bob Thomas, (Hyperion, 1994), p. 263.
[6] Ver *Remembering Walt*: favorite memories of Walt Disney (Disney Editions, 1999), p. 166.

Costa Leste. A Feira Mundial de 1964 em Nova York lhe deu a oportunidade perfeita de testar sua marca inigualável de entretenimento utilizando o dinheiro alheio e o maior grupo de foco jamais reunido em um único local – as dezenas de milhões de pessoas que visitaram a exposição em 1964 e 1965. Walt recrutou vários patrocinadores e a WED Enterprises, que mais tarde viria a se tornar a Walt Disney Imagineering, criou quatro grandes atrações, incluindo a It's a Small World para a Pepsi-Cola. Estima-se que 50 milhões de pessoas viram pelo menos uma das quatro atrações da Disney, que foram aclamadas as mais populares da feira. O público da Costa Leste estava claramente consolidado para um novo parque da Disney.

REVELAÇÃO DA GUESTOLOGIA

Como guestologia soa como algo complexo e de certa forma misterioso, vamos puxar um pouco as cortinas e dar uma espiada nos bastidores. "Guestologia" é um termo da Disney para pesquisa de mercado e cliente e, como vimos no Capítulo 1, é o trabalho de descobrir quem são os convidados e entender o que eles esperam quando chegam para uma visita. O tempo e o empenho que o Walt Disney World dedica à guestologia nos dá uma boa ideia da importância dessa arte para o sucesso do resort e de qualquer organização que embarcar na jornada do atendimento de qualidade.

A verba do Walt Disney World para a guestologia é aplicada em um grande número de técnicas, algumas das quais a sua organização provavelmente também utiliza. Levantamentos são realizados nos portões do parque e em outros pontos de acesso. "Postos de escuta" específicos são criados como locais dedicados a responder perguntas dos convidados, solucionar problemas e coletar informações. Cartões de comentários são tão comuns quanto sorrisos e, talvez o mais importante, a coleta e transmissão das opiniões e observações dos convidados pelos membros do elenco espalhados pelo resort é parte essencial do seu trabalho.

Estudos de utilização também contribuem para o banco de dados de guestologia do Walt Disney World. Padrões de utilização e

A magia do atendimento

visitação no resort são analisados e comparados. Os convidados parecem visitar o Pirates of the Caribbean mais cedo ou mais à tarde? Quantos convidados usam os sistemas de transporte do resort a cada hora? Quais são as taxas de ocupação nos vários resorts? Estudos como esses fazem parte do programa de atendimento de qualidade.

Tudo o que realizamos se deve ao esforço combinado. A organização deve estar com você ou você não tem como dar conta do recado...

Na minha organização respeitamos cada indivíduo e todos temos um enorme respeito pelo público.

– WALT DISNEY

Clientes ocultos fazem compras para conferir o atendimento nas várias lojas do resort. Levantamentos telefônicos são utilizados para coletar informações tanto de amostras aleatórias quanto de convidados recentes. Cartas e e-mails de convidados são avaliados em busca de dicas para melhorar o atendimento. E grupos de foco são utilizados para coletar informações para o desenvolvimento futuro e a melhoria de atrações e brinquedos existentes.

Cherie Barnett, participante de um treinamento do Disney Institute, fez bom uso dos grupos de foco na expansão de sua rede de salões de beleza sediada em Michigan, a Glitz Salons. Quando uma estatística do setor identificou garotas entre 10 e 16 anos como as maiores consumidoras de cosméticos, a srta. Barnett começou a pensar em um salão de beleza voltado diretamente para esse nicho. A primeira coisa que ela fez foi entrar em contato com o público potencial.

"Eu peguei o telefone e pedi que elas fossem à minha casa para conversar a respeito. Entrei em contato com meninas da região – tragam as suas amigas, não tragam as mães", lembra a empreendedora. "Trabalhei com grupos de 20 a 25 de cada vez. Pedi que me contassem o que esperavam de um salão, o tipo de música, decoração, logomarca. Foi incrível ver as ideias e a forma como a mente delas funcionava. Elas acabaram criando o logo, eu só o levei para o pessoal de marketing e disse 'façam isto'." O resultado foi a Glitz NXT, que se tornou o terceiro salão da rede.

As informações desenvolvidas com as técnicas da guestologia são utilizadas de muitas maneiras. Naturalmente, não faz sentido investir nenhum centavo em pesquisa de mercado se as descobertas ficarem guardadas na gaveta. O conhecimento desenvolvido por meio das informações coletadas dos convidados deve ser usado para criar e melhorar todos os elementos do ciclo de atendimento de qualidade, desde o tema e os padrões de atendimento até o menor detalhe dos sistemas de prestação do atendimento – o elenco, o cenário e o processo. As principais aplicações dos dados do cliente são estabelecer uma referência e outros critérios para o desenvolvimento e a implementação de uma estratégia de atendimento e criar melhorias e outros ajustes para o plano de atendimento existente. O Walt Disney World usa as opiniões e sugestões dos convidados para todos esses fins.

Você não constrói nada sozinho. Você descobre o que as pessoas querem e constrói para elas.

– WALT DISNEY

Os levantamentos de guestologia devem ser realizados regularmente para serem úteis. As pessoas mudam e o mesmo se aplica a suas expectativas. De forma similar, os convidados do Walt Disney World mudaram ao longo dos anos. Um levantamento conduzido com convidados em 1971, quando o parque foi inaugurado, só teria utilidade hoje como um documento histórico. Fatores demográficos fundamentais dos convidados, como tamanho e composição de um grupo de visitantes médio, bem como a atitude e as expectativas dos convidados mudaram e continuarão mudando. A guestologia ajuda a monitorar o cenário em constante evolução do convidado e oferece as informações necessárias para ajustar a prestação do atendimento.

As reações dos clientes mudam no curto prazo bem como no longo prazo. Convidados que fazem o *checkout* em um hotel depois de uma semana de diversão se sentirão de modo diferente daqueles que, já em casa, recebem a conta do cartão de crédito 30 dias depois. Para criar uma experiência mágica de atendimento, o Walt Disney World precisa saber como os convidados se sentem em um amplo intervalo de tempo. Por isso, é crucial coletar informações em diversos momentos diferentes durante a experiência de um convidado.

Os convidados interagem em média 60 vezes com o elenco durante a estadia. Cada interação pode ser uma oportunidade para o membro do elenco saber mais sobre os convidados, melhorar o espetáculo e desenvolver um vínculo mais forte entre o Walt Disney World e seus convidados. Veremos como isso é feito no próximo capítulo.

COMO CONHECER E ENTENDER OS CONVIDADOS

Quando dizemos que a guestologia é a ciência de conhecer e entender os clientes, também definimos os dois principais tipos de informações coletadas por meio de pesquisas com os convidados, os fatores *demográficos e psicográficos*. Como veremos, ambos são importantes.

Fatores demográficos

Na Disney, informações demográficas são vistas como conhecimento factual sobre os convidados. Os fatores demográficos em grande parte descrevem os atributos físicos de um grupo e muitas vezes incluem dados quantitativos. As informações demográficas revelam quem são os clientes, de onde eles vêm, quanto se empenharam para chegar ao resort, o quanto gastam etc.

Outro aspecto valioso dos fatores demográficos é que, quando sabe quem são seus convidados, você automaticamente sabe quem não são os seus convidados. Descobrir quem não faz negócios com você algumas vezes leva a enormes mudanças na estratégia do atendimento, especialmente se você descobrir que negligencia um grande grupo de clientes potenciais.

Os fatores demográficos ajudam a garantir que o ciclo de atendimento de qualidade seja corretamente direcionado. Isso pode parecer elementar, mas é surpreendente ver com que frequência os fatores demográficos abrem os olhos da organização para realidades básicas do mercado.

Fatores psicográficos

As informações psicográficas são a categoria de dados de pesquisa com o cliente que ajudam o Walt Disney World a entender o estado mental dos seus convidados. Os fatores psicográficos oferecem indicativos sobre o que os clientes precisam, o que querem, quais noções preconcebidas trazem consigo e quais emoções vivenciam. No Disney Institute, categorizamos esses indicativos como necessidades, desejos, estereótipos e emoções e pensamos neles como os quatro pontos principais de uma bússola – a Bússola da Guestologia.

Desenvolver os quatro pontos da Bússola da Guestologia significa gerar respostas qualitativas dos clientes. Isso é feito com perguntas abertas, pedindo opiniões e incentivando os clientes a dizer o que pensam. As respostas resultam em um retrato das expectativas do convidado, que, por sua vez, se tornam a medida de referência para o trabalho de superar essas expectativas.

Analisaremos os elementos da Bússola da Guestologia com a ajuda de dois exemplos, o Walt Disney World e a BMW Canada, Inc. que enviou mais de setecentos funcionários do centro de varejo

A magia do atendimento

ao treinamento do Disney Institute, foi fundada em 1986 como subsidiária da BMW AG, sediada em Munique, e opera uma rede de 32 concessionárias de automóveis e 16 revendedoras de motos no Canadá.

As *necessidades* constituem o ponto mais fácil de identificação da bússola. Do que os convidados precisam quando vão ao Walt Disney World? Férias. Do que precisam quando vão a uma concessionária da BMW? Um carro. As necessidades tendem a ser óbvias, normalmente correspondem aos produtos e serviços que você oferece, mas só proporcionam uma visão aproximada de perfil psicográfico.

Os *desejos* são menos evidentes. Eles sugerem os propósitos mais profundos de um cliente. Muitos dos convidados do Walt Disney World querem mais do que simples férias; eles também querem memórias duradouras de uma experiência familiar repleta de diversão. O cliente da BMW pode querer o status proporcionado por um carro de alto desempenho. À medida que você começa a descobrir os desejos, os contornos do perfil do consumidor começam a ganhar forma.

Os *estereótipos* são as noções preconcebidas que cada cliente tem do seu negócio ou setor. Os convidados chegam ao Walt Disney World esperando que os membros do elenco no parque tenham determinada aparência. Da mesma forma, na concessionária da BMW, os clientes esperam que os técnicos tenham certa aparência. À medida que você identifica os estereótipos do convidado, obtém indicativos valiosos das suas expectativas. Esses indicativos ajudarão a definir os detalhes do retrato do convidado.

Por fim, as *emoções* são os sentimentos que os clientes vivenciam no contato com a sua organização. No Walt Disney World, os convidados provavelmente terão uma ampla variedade de emoções durante a visita. Algumas positivas, como a empolgação de um passeio na montanha-russa Space Mountain, outras negativas, como a impaciência com longas filas. Na BMW, os compradores de carros sentem uma variedade semelhante de emoções. Eles podem se orgulhar quando dirigem o carro novo e sentir remorso quando deduzem o custo da conta de poupança. Identificar o volátil estado emocional dos clientes completa o perfil, pintando-o com cores.

O jeito Disney de encantar os clientes

A tabela a seguir apresenta vários outros exemplos de perfis de clientes elaborados no processo da guestologia. Enquanto a analisa, pense em como seria o perfil dos seus clientes.

No Walt Disney World, o processo de coletar e analisar os dados necessários para completar a Bússola da Guestologia constitui um grande progresso na identificação do que os convidados esperam quando visitam o resort. Esse conhecimento é utilizado para satisfazer e superar as expectativas dos convidados em todos os elementos do ciclo de atendimento de qualidade.

	Necessidades	Desejos	Estereótipos	Emoções
Walt Disney World Resort	Férias	Felicidade Memórias duradouras	A Disney é para crianças Longas filas Limpo Amigável Caro Divertido	Empolgação ao entrar no parque Pés cansados no fim do dia Empolgação da Space Mountain
Seguradora	Apólice de seguro de vida	Paz de espírito	Você nunca recebe o dinheiro de volta Como um vizinho que está sempre por perto quando você precisa de ajuda Leva uma eternidade para pagarem um pedido de indenização	Você não sabe ao certo se está coberto quando ocorre uma emergência Alívio quando descobre que está coberto
Concessionária de automóveis	Carro	Status Liberdade Confiabilidade	Vendedor de carros usados Vendedor de carros novos Vendedor de carros de luxo	A empolgação de comprar um carro Remorso vários dias depois da compra
Instituição financeira	Conta bancária	Segurança financeira Retorno sobre o investimento	Pisos de mármore Ternos de lã e camisas de algodão Horário de atendimento dos bancos Longo tempo de espera nos caixas	Impaciência diante de longas filas dos caixas Empolgação ao fazer o empréstimo para comprar o primeiro imóvel

O PODER DO TEMA DO ATENDIMENTO

"O meu negócio faz com que as pessoas, especialmente as crianças, sejam felizes", disse Walt Disney meio século atrás.[7] Apesar de ser uma afirmação simples e direta à primeira vista, essa frase de Walt mergulha nas profundezas da ética do atendimento da The Walt Disney Company. Essa é a base para a sua missão como um negócio; ela representa o que a empresa significa e por que ela existe. Esse é o tema do *atendimento* da The Walt Disney Company.

Em 1955, enquanto a visão de Walt para a Disneylândia se concretizava, o tema foi evidenciado pela primeira vez como uma maneira de apresentar aos primeiros funcionários do parque os fundamentos do atendimento da Disney e para orientá-los em suas interações com os convidados. Nas primeiras aulas de orientação da Disney University, o elenco aprendeu que: *Nós criamos felicidade*. Houve uma ou outra alteração ao longo dos anos, mas hoje os novos membros do elenco escutam basicamente a mesma mensagem. Eles aprendem: *Criamos felicidade proporcionando o melhor em entretenimento para pessoas de todas as idades, por toda parte.*

Muito se falou sobre visão, missão e valores organizacionais na última década. Os pensadores da administração identificaram essas declarações de intenção organizacional como forças unificadoras altamente eficazes no ambiente de trabalho e mostraram em estudos que empresas com ideologias bem definidas têm sucesso no longo prazo.

Jim Collins e Jerry Porras, autores de *Feitas para durar*, as chamaram de empresas visionárias e descobriram que elas "superavam o desempenho do mercado de ações em geral por um fator de 12 desde 1925".

"Os líderes morrem, produtos se tornam obsoletos, os mercados mudam, novas tecnologias surgem e os modismos da administração vão e vêm, mas a ideologia essencial em uma empresa excelente sobrevive como uma fonte de orientação e inspiração", eles escreveram na *Harvard Business Review*.[8]

---

[7] Ver *Walt Disney*: famous quotes (Disney Kingdom Editions, 1994), p. 21.
[8] A estatística e a citação foram tiradas do artigo de James Collins e Jerry Porras "Building your company's vision", na *Harvard Business Review*, set./out. 1996.

Muitas organizações entenderam a mensagem e criaram rapidamente declarações sobre seu propósito e valores. Eles as gravaram em placas e as penduraram para todos, clientes e funcionários, verem. E, em muitos casos, a iniciativa terminou por aí; um sentimento meticulosamente selecionado ao qual ninguém deu muita atenção. Collins e Porras dizem que isso acontece porque a ideologia essencial (o propósito e os valores de uma organização) não é algo que pode ser simplesmente declarado. Em vez disso, ela deve refletir verdades existentes sobre uma empresa ou criar novos ideais que a empresa tentará concretizar até se tornarem verdades inerentes.

Da mesma forma como o propósito essencial de empresas como a Johnson & Johnson, 3M e Hewlett-Packard, o tema do atendimento da Disney tem sucesso por estar profundamente enraizado em sua herança e ser sustentado ao longo das operações diárias do negócio. Trata-se de um tema *vivo*, não apenas uma frase em uma placa, e satisfaz três necessidades críticas: define com clareza o propósito da organização; transmite internamente uma mensagem; e cria uma imagem para a organização.

O tema do atendimento da The Walt Disney Company declara em alto e bom som uma missão (*criar felicidade*), como essa missão é realizada (*proporcionando o melhor em entretenimento*) e para quem (*pessoas de todas as idades, por toda parte*). Hoje em dia, "entretenimento" na Disney significa televisão, filmes, livros, parques temáticos, cruzeiros etc. Mas, ao mesmo tempo, o tema cria um foco claro. Você provavelmente nunca verá um jato produzido pela Disney ou fará uma hipoteca no Bank of Disney. O tema do atendimento define o propósito de uma organização.

Ele também comunica o propósito para toda a organização. Define um objetivo maior para cada uma das 120 mil pessoas que trabalham na The Walt Disney Company ao redor do mundo e atua como um ponto de união para toda a organização. É algo que todos os funcionários têm em comum e, independentemente do trabalho individual, define a expectativa de que todos ajudarão a criar felicidade para o cliente.

A magia do atendimento

Por fim, o tema do atendimento cria as bases para a imagem pública da empresa. Ele informa aos convidados o que podem esperar da empresa (o melhor em entretenimento). É uma promessa explícita e uma faca de dois gumes: se as expectativas dos convidados forem satisfeitas ou superadas, eles ficam felizes. Senão, o desagrado será claro.

Mesmo se as palavras soarem semelhantes, cada organização cria seu próprio tema inigualável de atendimento. Obviamente, o tema do Walt Disney World de criar felicidade não pode ser simplesmente adotado e imitado: é fundamental criar o seu próprio tema de atendimento. Esse é o elemento fundamental do ciclo de atendimento de qualidade.

Veja o que Tom Peters e Bob Waterman disseram sobre o tema em seu revolucionário livro *Vencendo a crise*: "Independentemente de serem ou não tão fanáticos em sua obsessão pelo serviço quanto a Frito, a IBM ou a Disney, todas as empresas excelentes parecem ter temas de atendimento muito poderosos que permeiam as instituições. Na verdade, uma das nossas conclusões mais significativas sobre as empresas excelentes é que, *independentemente de seu negócio essencial ser metalurgia, alta tecnologia ou hambúrgueres, todas se definiram como empresas de serviços*".[9]

O governo dos Estados Unidos passou a maior parte dos anos 1990 em busca de se redefinir como um negócio de serviço, e ainda está nesse processo. Um dos princípios fundamentais da iniciativa do governo americano de se reinventar requer reorganizar órgãos públicos como organizações baseadas em desempenho centradas no cliente. A primeira organização baseada em desempenho oficial foi a Student Financial Assistance (SFA), um órgão de assistência financeira a estudantes do Ministério da Educação. A SFA, cliente do Disney Institute, processa mais de US$ 60 bilhões em bolsas de estudo, crédito estudantil e assistência ocupacional todos os anos. Seu tema de atendimento é simples e cativante: *Ajudamos a colocar os Estados Unidos na escola.*

---

[9] Os itálicos são de Thomas Peters e Robert Waterman. A citação foi tirada da p. 168 de In *Search of excellence*: lessons from America's best-run companies (Warner Books, 1984). Publicado no Brasil como *Vencendo a crise* (Harbra, 1999).

Com essa frase curta, a SFA se volta diretamente a seus clientes finais, os mais de 9 milhões de estudantes americanos que a entidade ajuda a concluir a educação superior todos os anos. Trata-se de um foco crítico, porque o órgão nem sempre lida diretamente com as famílias americanas que precisam de crédito estudantil. Em vez disso, ele trabalha com parceiros – escolas, bancos e fiadores – que atuam como sistema de entrega ao cliente final, o estudante. Voltar a focar a atenção aos alunos foi o que o COO Greg Woods, o líder da iniciativa de reinvenção, quis dizer quando disse: "Vamos oferecer um atendimento como eles nunca viram, e nos divertiremos fazendo isso".[10]

Vale notar que a primeira coisa que a SFA fez para aprender como atender melhor os clientes foi recorrer aos próprios clientes. O sr. Woods montou uma força-tarefa composta de pessoal de linha que conduziu duzentas sessões para ouvir estudantes, pais e parceiros operacionais em todo o país. Comentários de mais de 8 mil clientes foram coletados e analisados *antes* de as melhorias serem decididas. Isso é guestologia na prática.

Outro cliente do Disney Institute, a Pick'n Pay, a maior varejista de alimentos da África do Sul, com uma participação de mercado de 39% no ano fiscal de 2000 e mais de 450 lojas próprias e franqueadas, criou uma missão de atendimento inspiradora. Em resposta às transformações sem paralelo nos âmbitos político, social e de negócios no país, o CEO Sean Summers liderou um projeto que eles chamaram de *Vuselela*, um termo da língua xhosa/zulu que significa "renascimento". "Precisávamos criar uma sociedade na Pick'n Pay que espelhasse o que a África do Sul estava tentando se tornar", nos contou o CEO.

A empresa se voltou a seus 27 mil funcionários para criar uma missão com sentido. "Decidimos nos voltar ao coração da organização – empacotadores, caixas, faxineiros, balconistas, todas as pessoas – para descobrir o que elas sentiam que a empresa representava", disse Summers. A nova missão de atendimento que eles articularam ecoava a nova sociedade: *Nós servimos. Com o nosso coração, criamos um excelente lugar para se estar. Com a nossa mente, criamos um excelente lugar para fazer compras.*

---

[10] A citação foi tirada do discurso de Greg Wood na cerimônia de posse, em 8 de dezembro de 1998.

A magia do atendimento

A evolução do tema do atendimento da Disney		
Ano	Tema de atendimento	Significado
1955	Nós criamos felicidade.	Nos primórdios dos parques temáticos, trabalhando com base na herança dos filmes, a felicidade era identificada como o "desejo" que os convidados buscavam realizar. O pronome "nós" fazia referência ao elenco, como uma equipe.
1971	Nós criamos felicidade proporcionando o melhor em entretenimento familiar.	A inclusão da palavra "melhor" reconhecia a existência de um mercado e de concorrência em uma época turbulenta.
1990	Criamos felicidade proporcionando o melhor em entretenimento para pessoas de todas as idades, por toda parte.	Nos anos 1990, a Disney já reconhecia a enorme diversidade da população de convidados potenciais, no que estava se tornando um mercado mundial.
2001... e além	Nós criamos felicidade.	A Disney continua a monitorar as mudanças e necessidades dos convidados. Apesar de o tema do atendimento continuar a evoluir, até certo ponto ele continua o mesmo.

Uma última observação sobre temas de atendimento: eles não precisam ser eternos. Afinal, nada dura para sempre. Mas, se um tema de atendimento for adequadamente definido, ele deve mudar lentamente, evoluindo no decorrer de um longo período. Collins e Porras sugerem que, diferentemente de uma estratégia ou metas de negócios, o propósito essencial de uma organização deve durar por pelo menos um século.

"Apesar de você poder atingir uma meta ou concluir uma estratégia, não pode concretizar um propósito; ele é como uma estrela guia no horizonte – sempre perseguida, mas nunca atingida", eles explicam. "Mas, apesar de o propósito em si não mudar, ele inspira a mudança. O próprio fato de o propósito não poder ser plenamente concretizado significa que uma organização nunca deve parar de estimular a mudança e o progresso".[11] Esse é um resumo excelente do poder de um tema de atendimento.

---

[11] "Building your company's vision" de Collins e Porras, *Harvard Business Review*, set./out. 1996.

A PROMESSA DO TEMA DO ATENDIMENTO

Uma vez que um tema de atendimento atua como promessa para os clientes e propósito para os funcionários, a próxima questão lógica é: Como cumprir essa promessa e concretizar esse propósito? A resposta é a definição de *padrões de atendimento*. Os padrões de atendimento, ou valores do atendimento, são os critérios operacionais que asseguram que o tema do atendimento será sistematicamente transmitido. Eles fluem do tema do atendimento e, por sua vez, sustentam a concretização do tema.

No Walt Disney World, os padrões de atendimento, assim como o tema do atendimento, estão profundamente enraizados na história do negócio de atrações da empresa. Nos anos 1940, quando Walt Disney idealizou a Disneylândia, eles constituíam uma parte implícita de sua visão de parque de diversões que seria diferente de todos aos quais ele levava as filhas. O parque de Walt seria limpo, os funcionários seriam amistosos e toda família se divertiria nele. Em 1955, quando o consultor de treinamento Van France e Dick Nunis, que se tornaria presidente do conselho da Walt Disney Attractions, criou o curso de orientação para os primeiros funcionários da Disneylândia, eles trabalharam com base no tema "criar felicidade" e passaram a vincular essa realização a comportamentos específicos. E, em 1962, quando Dick reelaborou esses comportamentos na forma dos quatro componentes de um "bom show", os padrões de atendimento do parque foram explicitamente definidos.

Os quatro elementos de Dick eram Segurança, Cortesia, Espetáculo e Capacidade (que mais tarde passou a ser chamada de Eficiência) e hoje eles também constituem os padrões de atendimento do Walt Disney World. Eles representam como o tema do atendimento é concretizado e oferecem um conjunto de crivos que ajudam os funcionários da Disney a avaliar e priorizar as ações que contribuem para a experiência do convidado. A seguir, analisaremos os padrões de atendimento do Walt Disney World e veremos como eles sustentam o tema do atendimento.

Segurança

É eufemismo dizer que um convidado exposto a ferimentos ou incerto em relação à sua segurança ou a dos entes queridos se sentirá infeliz. Dessa forma, o padrão de atendimento da segurança requer que o bem-estar e a paz de espírito dos convidados sempre sejam prioridade.

O *imagineer* Bruce Johnson explica o que isso implica na criação das atrações: "As estatísticas estão em grande parte contra nós. Pense a respeito. Se houver uma chance em 1 milhão de algo dar errado e 10 milhões de convidados usarem uma das nossas atrações, então algo dará errado dez vezes. Não podemos projetar nada tendo em vista essa estatística de um em um milhão. Precisamos projetar visando uma chance em centenas de milhões".[12]

Ao adotar a segurança como padrão de atendimento, a Disney garante que as questões de segurança sejam atendidas em cada elemento dos resorts e parques da Disney. Medidas de segurança, muitas vezes muito além do que exigem as normas locais, são incorporadas a atrações, sistemas de transporte, hotéis e restaurantes do resort. Além do pessoal exclusivamente dedicado à segurança, todo o elenco do resort aprende procedimentos e práticas de segurança específicos para cada área.

Cortesia

O padrão de atendimento da cortesia requer que cada convidado seja tratado como um VIP – uma pessoa muito importante. Realizar esse padrão implica mais do que simplesmente tratar as pessoas como gostaríamos de ser tratados; implica tratá-las como *elas querem* ser tratadas, com reconhecimento e respeito por suas emoções, habilidades e culturas.

Se você mora em Orlando, Flórida, tudo o que precisa fazer é perguntar como chegar a algum lugar para descobrir se a pessoa

---

[12] "A citação de Bruce Johnson foi tirada da p. 113 de *Walt Disney Imagineering*: a behind the dreams look at making the magic real (Hyperion, 1996).

trabalha no Walt Disney World. Se a pessoa apontar usando dois ou mais dedos ou uma mão aberta, são grandes as chances de ela trabalhar com o camundongo Mickey. A razão para isso é que apontar com um dedo é considerado indelicado em algumas culturas, de forma que uma das primeiras coisas que todos os novos membros do elenco aprendem é como dar indicações com cortesia.

Fazer da cortesia um padrão de atendimento significa transformá-la em um conjunto de comportamentos aplicados a toda a organização. Como uma organização, isso faz com que o Walt Disney World seja responsável por recrutar, contratar e treinar um elenco com excelentes habilidades interpessoais. O elenco aprende a assumir ampla responsabilidade pela felicidade do convidado, sendo amistoso, sabendo as respostas para perguntas comuns e, quando possível, levando pessoalmente os convidados até os seus destinos. Para os membros do elenco, isso significa adotar uma abordagem proativa à cortesia se antecipando aos acontecimentos e se oferecendo para ajudar e se envolver com os convidados do Walt Disney World. Como dizem os facilitadores do Disney Institute, "os convidados podem nem sempre ter razão, mas são os nossos convidados".

Espetáculo

O padrão de atendimento do espetáculo requer entretenimento excepcional e ininterrupto para os convidados. O tema do atendimento exige "o melhor em entretenimento", e do mais alto nível, o que significa uma apresentação contínua do começo ao fim da estadia de um convidado no resort. O fato de os parques temáticos da Disney serem os mais populares do mundo é uma prova da concretização do padrão do espetáculo.

Walt Disney sempre se concentrou em proporcionar um bom espetáculo, no qual a atenção do público nunca fosse involuntariamente desviada ou interrompida. Marty Sklar, presidente do conselho da Walt Disney Imagineering, lembra-se de um passeio pela Disneylândia com Walt. Ao chegarem ao Mike Fink Keel Boats na

A magia do atendimento

Frontierland, área temática do Oeste americano no século 19, um publicitário da empresa se aproximou dos dois em um carro. Walt ficou chocado. Ele indagou, indignado: "O que você está fazendo com um carro em 1860?".[13]

A busca de um espetáculo ininterrupto é uma força impulsionadora na organização. A história é um conceito repetido por todo Walt Disney World. Cada resort é construído ao redor de uma história e cada detalhe de design, do cenário às maçanetas, sustenta o tema dessa história. Cada parque é construído com base em uma ou mais histórias e seu design, das latas de lixo às bebidas, também ecoa essas histórias. Da linguagem teatral à aparência dos membros do elenco, os recursos humanos do negócio constituem uma parte integral do espetáculo. Trabalhos são apresentações; uniformes são fantasias. Tudo resulta em um espetáculo contínuo.

Eficiência

O padrão de atendimento da eficiência requer operação sem percalços nos parques temáticos e resorts. Com isso, os convidados têm a chance de apreciar o que quiserem no Walt Disney World. Os lucros da Disney correspondem diretamente à capacidade da empresa de maximizar a utilização da propriedade por parte dos convidados.

Os monotrilhos Mark VI, por exemplo, transportam mais de 110 mil convidados por dia com um índice de confiabilidade de 99,9%. Desde 1971, eles percorreram com segurança e eficiência mais de 6,5 milhões de quilômetros.[14] Os *Omnimovers* são sistemas projetados pela Disney que mantêm as filas em movimento transportando mais de 2,5 mil convidados por hora pelas atrações do resort.[15]

O Walt Disney World busca a eficiência operacional em todas as suas propriedades. A empresa analisa o fluxo de convidados e os padrões de utilização para proporcionar equipamentos e níveis de

---

[13] A recordação de Marty Sklar foi tirada de *Building a dream*: the art of disney architecture, de Beth Dunlop (Abrams, 1996), p. 14
[14] *Walt Disney Imagineering*: a behind the dreams look at making the magic real (Hyperion, 1996), p. 117.
[15] *Ibid.*, p. 115.

alocação de pessoal adequados. Listas de verificação operacionais asseguram a prontidão para as demandas de cada dia de operações. Os níveis de vendas são analisados para proporcionar o mix e a quantidade adequada de produtos e serviços, determinando a velocidade ótima de atendimento para assegurar a melhor experiência do convidado. A eficiência operacional é o quarto e último direcionador na concretização do tema do atendimento.

No entanto, não basta simplesmente identificar os padrões de atendimento; eles também devem ser priorizados. Se não, o que acontece quando surge um conflito entre os padrões? Pense a respeito: O que um membro do elenco deveria fazer quando um convidado utilizando um andador entra em uma plataforma móvel que controla a velocidade de uma atração? O membro do elenco desacelera ou para o brinquedo, para o transtorno dos outros usuários, ou deixa que o convidado que não se encaixa aos moldes se vire por conta própria?

O Walt Disney World priorizou seus padrões e acabamos de explorá-los na ordem de priorização (segurança, cortesia, espetáculo e eficiência). Conhecendo essas prioridades, a solução para o problema é clara. O membro do elenco imediatamente coloca a segurança de um convidado com necessidades especiais à frente da eficiência do processo de transporte, da continuidade do espetáculo e até mesmo do tratamento cortês de outro convidado. Os padrões de atendimento priorizados atuam como elementos orientadores no ciclo do tema do atendimento.

Por fim, da mesma forma como o tema de atendimento, os padrões de atendimento da sua organização sem dúvida serão diferentes dos padrões do Walt Disney World. Mesmo assim, eles são os produtos do tema do atendimento e definem e especificam os critérios pelos quais as decisões de atendimento serão tomadas e avaliadas.

Veja, por exemplo, a experiência de um cliente do Disney Institute, a Lehigh Valley Hospital & Health Network (LVHHN), uma rede de serviços de saúde com três hospitais, 1,2 mil médicos e mais de seis mil funcionários baseada no leste da Pensilvânia. A LVHHN decidiu se afastar da imagem estereotipada que as pessoas formaram sobre organizações de saúde a adotaram *Nem todos os hospitais são iguais* como seu tema de atendimento. A organização também desenvolveu

A magia do atendimento

uma promessa de atendimento, um compromisso firmado por cada um dos funcionários: "Eu prometo ouvir, entender e reagir com os mais altos padrões de atendimento médico, serviço e respeito pessoal".

A organização de 101 anos buscou atingir sua meta definindo cinco padrões de atendimento elaborados para comunicar os comportamentos operacionais necessários para atingir o tema e a promessa de atendimento. Eles são resumidos em um acrônimo: PRIDE ("orgulho" em inglês). O PRIDE na LVHHN é formado por Privacy (privacidade), Respect (respeito), Involvement (envolvimento), Dignity (dignidade) e Empathy (empatia). Veja como a rede regional de serviços de saúde define o que cada padrão significa (enquanto lê, observe com que frequência eles refletem diretamente os interesses e as necessidades do paciente):

Privacidade: a LVHHN reconhece o direito à privacidade e promete manter em sigilo todas as informações pessoais e médicas, a menos que sejam necessárias para o diagnóstico ou tratamento, ou por lei.

Respeito: a LVHHN valoriza a individualidade, as crenças, os direitos e necessidades de cada pessoa. Estamos criando um ambiente construído com base em cuidado, paciência e respeito para todos.

Envolvimento: a LVHHN acredita que a participação ativa e a comunicação eficaz são claramente ligadas à satisfação do cliente. Buscaremos proporcionar informações em tempo hábil, precisas e completas aos outros quando isso os afeta.

Dignidade: os membros da equipe da LVHHN manterão um alto padrão de conduta profissional ao representar a rede. Nossas atitudes, ações e palavras refletem a nossa autoestima e o nosso interesse pelos outros.

Empatia: o pessoal da LVHHN buscará compreender as situações e a perspectiva singulares de todos os indivíduos com quem interage, incluindo pacientes e seus familiares, colegas, médicos e outros clientes.

É interessante notar que as explicações de cada padrão foram definidas por um grupo de 50 funcionários da LVHHN com altos níveis de desempenho. Eles foram divididos em cinco grupos e solicitados a definir como cada padrão funcionaria na prática. O PRIDE é um recurso simples e memorável para comunicar os padrões de atendimento. Além disso, ele determina os produtos do atendimento que os funcionários da LVHHN utilizam para fazer suas instalações serem diferentes das de qualquer outro hospital.

O CUMPRIMENTO DA PROMESSA

Com um tema e padrões de atendimento para nos orientar, é hora de começarmos a explorar a prestação do atendimento de qualidade. No Walt Disney World, há três sistemas principais de prestação do atendimento. Os sistemas de atendimento são os métodos pelos quais o atendimento de qualidade é implementado. São eles: *elenco, cenário e processo.*

O *elenco*, naturalmente, é constituído dos funcionários que trabalham na organização. Se você parar para pensar nas organizações conhecidas pela excelência no atendimento, perceberá que os funcionários sempre vêm à mente como uma fonte crítica de prestação do atendimento. O *cenário* é como a Disney chama os recursos físicos da organização. É onde os clientes entram em contato com as equipes. Se você já decidiu sair de um restaurante mesmo antes de se sentar devido à sua aparência ou cheiro, sabe como o cenário é importante para a prestação do atendimento. O *processo* representa as várias séries de operações utilizadas para ofertar produtos e serviços aos clientes. O finado W. Edwards Deming, talvez o mais famoso guru da qualidade, identificou o processo como o principal fator determinante da qualidade do produto, e ele exerce um papel tão amplo quanto o elenco ou o cenário na prestação do atendimento de qualidade.

Os três próximos capítulos detalham como esses três sistemas são utilizados para concretizar o tema e os padrões do atendimento no Walt Disney World, como eles funcionam em outras organizações e como podem funcionar na sua empresa.

A magia do atendimento

DICAS PARA UM ATENDIMENTO DE QUALIDADE

Torne-se um especialista em guestologia: A guestologia é o trabalho de descobrir quem são os seus clientes e entender o que eles esperam quando o procuram. As técnicas da guestologia incluem levantamentos, postos de escuta, grupos de foco, estudos de utilização e, o mais importante, o feedback que os clientes dão aos funcionários.

Crie um perfil do convidado: O conhecimento sobre os clientes inclui fatores demográficos (informações sobre as características físicas da sua base de clientes) e fatores psicográficos (informações sobre atitudes, estilos de vida, valores e opiniões). Os dois tipos de conhecimento proporcionam informações úteis para criar o atendimento de qualidade.

Use a bússola da guestologia para processar as informações sobre os clientes: A bússola coleta e analisa informações sobre necessidades, desejos, estereótipos e emoções dos clientes.

Articule um tema de atendimento inigualável: O tema de atendimento define o propósito de uma organização, transmite internamente uma mensagem e cria uma imagem para a organização. No Walt Disney World o tema do atendimento é "Criamos felicidade proporcionando o melhor em entretenimento para pessoas de todas as idades, por toda parte".

Determine os padrões de atendimento críticos: Os padrões de atendimento são os critérios pelos quais o atendimento de qualidade é avaliado, priorizado e mensurado. Os quatro padrões de atendimento do Walt Disney World são: Segurança, Cortesia, Espetáculo e Eficiência.

Reconheça os principais sistemas de prestação do atendimento: Os sistemas de atendimento são os métodos pelos quais o atendimento de qualidade é implementado. As organizações possuem três principais sistemas de atendimento: Elenco, Cenário e Processo.

Capítulo 3

A magia do elenco

A magia do elenco

Basta correr os olhos pela prateleira de livros de negócios da livraria mais próxima para confirmar a existência de inúmeros textos dedicados ao poder e à capacidade dos funcionários e o papel indispensável que eles exercem na busca por atingir as metas organizacionais. Com efeito, a necessidade vital de uma força de trabalho motivada e ágil parece tão lógica e lugar-comum que é difícil imaginar que as nossas crenças em relação às pessoas no trabalho um dia já foram diferentes. Mas, nos anos 1930, os funcionários não tinham um papel tão respeitado no projeto organizacional quanto têm hoje.

Até mesmo Henry Ford, que em 1914 ultrajou capitalistas por toda a parte quando quase dobrou os salários dos funcionários da fábrica para US$ 5 por dia e que, em sua autobiografia de 1922 escreveu apaixonadamente sobre a capacidade do trabalhador americano, demonstrou ressentimento com a força de trabalho nos anos 1930. "O homem comum não trabalha bem a menos que seja pego e não tenha como escapar", disse o inventor da linha de montagem móvel numa entrevista em 1931. Ele sustentou essa declaração mesquinha com a força do Departamento de Serviços da Ford, um grupo de supervisores e seguranças durões que, sob a direção de Harry Bennett, intimidava e agredia fisicamente os trabalhadores da Ford que não cumpriam o regulamento da empresa.[1]

Em nítido contraste com o cinza mecanicista das crenças de Henry Ford em relação aos funcionários, a visão de Walt Disney era repleta de cor e energia. À medida que os anos dourados da década de 1920 davam lugar aos anos 1930, marcados pela recessão, o sucesso financeiro e de crítica das primeiras animações em tecnicolor da empresa e o sonho de Walt de criar os primeiros longas de animação impulsionavam o crescimento dos estudos da Disney na Hyperion Avenue em Burbank, Califórnia. Walt sabia que a chave para a prosperidade duradoura do estúdio era a sua força de trabalho. Então, deu início a um plano de expansão que ampliou a equipe de seis para

---

[1] Ver *Ford*: The men and the machine, de Robert Lacey (Little, Brown, 1986) para uma história da família e da empresa Ford. A citação de Henry Ford foi tirada da p. 305.

mais de 750 pessoas e passou a ver com seriedade o treinamento e o desenvolvimento do pessoal.

Se você fosse um jovem animador na The Disney Company em 1931 e não tivesse carro, é muito provável que, várias noites por semana, o próprio Walt levasse você e um grupo de colegas de carro até Los Angeles para frequentar os cursos pagos pela empresa no Chouinard Art Institute. No fim de 1932, à medida que a participação nessas aulas aumentava, Walt deixou de levar os funcionários de carro e contratou Don Graham da Chouinard para lecionar no estúdio. "Eu decidi sair da aula deles", Walt observou jocosamente, comparando a sua empresa com a concorrência "montando minha própria escola de treinamento".[2] Dessa forma, no dia 15 de novembro de 1932, a primeira aula da Disney Art School foi dada para 25 alunos. O número de participantes cresceu rapidamente, principalmente depois que se espalhou a notícia sobre as modelos que Don chamava para posar nuas nas aulas de desenho.

Em 1934, a escola interna já operava em período integral. Animadores recém-contratados aprendiam a desenhar em aulas realizadas em zoológicos e aprendiam técnicas de produção em aulas no estúdio. No início de 1935, Walt analisou as características de um bom animador para orientar Don no desenvolvimento de um "treinamento bastante sistemático para os nossos jovens animadores [...] e um plano de abordagem para os nossos animadores mais antigos".[3] Logo, convidados também passaram a dar aulas e os animadores da Disney aprendiam com palestrantes eminentes como o arquiteto Frank Lloyd Wright e o crítico teatral Alexander Woollcott.

Ao mesmo tempo em que os primeiros programas de treinamento estavam sendo criados, Walt formalizava os principais elementos da cultura corporativa. Empenho e criatividade eram recompensados com bônus. A utilização dos primeiros nomes e

---

[2] A citação foi tirada de *The Disney version*, de Richard Schickel (Ivan R. Dee, 1997), p. 178.

[3] Ver *Walt Disney*, de Bob Thomas (Hyperion, 1994) para mais detalhes sobre o desenvolvimento da Disney Art School. A citação foi tirada da p. 124.

A magia do elenco

roupas casuais contribuíam para uma atmosfera de abertura. Animadas sessões de histórias, algumas vezes conduzidas depois do trabalho na casa de Walt, acrescentavam um elemento democrático a um sistema baseado na adoção das melhores ideias, independentemente da origem.

O primeiro grande resultado das iniciativas de treinamento e desenvolvimento da empresa veio em 21 de dezembro de 1937, na estreia de "Branca de Neve e os Sete Anões" em Hollywood, que recebeu uma ovação em pé da elite da indústria do cinema. Formado por 2 milhões de desenhos, o longa-metragem de 83 minutos aclamado pela crítica quebrou recordes de público no Radio City Music Hall de Nova York e ganhou um Oscar especial, uma estátua de tamanho normal acompanhada de sete Oscars anões. Em seis meses, a receita do filme pagou todos os empréstimos da empresa e, na primeira temporada em cartaz, Branca de Neve rendeu US$ 8 milhões. Era uma "quantia fenomenal", de acordo com Bob Thomas, o biógrafo de Disney, "tendo em vista que o preço médio de um ingresso de cinema custava 23 centavos nos Estados Unidos em 1938 – e grande parte do público de "Branca de Neve" era formado por crianças, que pagavam apenas 10 centavos".[4]

Walt fez um investimento parecido em treinamento e desenvolvimento em meados dos anos 1950 na Disneylândia. Em 1955, ele criou a Disney University, a primeira universidade corporativa, para garantir que os novos funcionários entendessem e prestassem o atendimento que ele vislumbrava no inigualável novo parque. E, em 1971, cinco anos depois da morte de Walt, quando o Walt Disney World foi inaugurado na Flórida, uma nova filial da University foi aberta com o resort. Na ocasião, o investimento foi uma decisão consensual. Todos sabiam que Walt estava certo quando disse: "Você pode sonhar, criar, projetar e construir o lugar mais maravilhoso do mundo [...] mas são necessárias pessoas para fazer do sonho uma realidade".[5]

---

[4] Ibid., p. 143.
[5] *Walt Disney*: famous quotes (Disney Kingdom Editions, 1994), p. 80.

No ciclo de atendimento de qualidade, a força de trabalho, ou elenco, representa um sistema crítico para a concretização tanto do tema quanto dos padrões de atendimento. Nos parques e resorts da Disney, os convidados entram em contato com o elenco mais de 2,5 bilhões de vezes ao ano. Cada contato, como disse Michael Eisner em uma palestra na Rutgers University, "é uma chance de conquistar um cliente ou perder um cliente". É por isso que, Eisner prosseguiu, "tentamos fazer que os nossos membros do elenco sintam que fazem parte de uma família [...] que compartilham uma herança especial [...] que cara fechada, indiferença ou um papel de bala jogado no chão representa uma intrusão no mundo mágico que os nossos parques temáticos são projetados para criar".[6]

COMO ESCALAR O ELENCO PARA A PRIMEIRA IMPRESSÃO

Já foi dito antes e vale repetir: nunca se tem uma segunda chance para causar uma primeira impressão. No Walt Disney World, todos os membros do elenco conhecem a importância das primeiras impressões. Eles sabem que os convidados formarão uma primeira impressão em questão de segundos e como é importante fazer que essa impressão seja positiva. Primeiras impressões são fortes e duradouras. Mas os clientes não são as únicas pessoas que formam rápidas e firmes primeiras impressões; os funcionários também.

Antes de começarmos a explorar o papel do elenco na prestação do atendimento no Walt Disney World, pare por um momento para pensar no que a maioria dos novos funcionários vivencia quando chega para o primeiro dia de trabalho. Qual foi a primeira coisa que você fez no seu primeiro dia de trabalho? Provavelmente passou por algum tipo de orientação. No Relatório da Indústria da revista *Training* de 1999, 92% dos respondentes disseram que a sua organização oferece um programa formal de orientação a novos funcionários. É o tipo mais comum de treinamento oferecido.[7]

---
[6] Esse trecho da palestra de Michael Eisner foi tirado de um vídeo do treinamento "Traditions do Walt Disney World".
[7] *Treinamento*, out. 1999, p. 58.

A magia do elenco

Eis mais uma questão: Qual é a primeira impressão que a maioria dos novos funcionários forma naquele primeiro dia de trabalho? Bem, o quase um em cada dez que não participa de um programa de orientação não forma uma grande impressão, ao menos não uma sobre a qual o novo empregador tenha muito controle. Eles simplesmente vão ao trabalho e botam a mão na massa. Até mesmo os novos contratados que recebem algum tipo de orientação são em grande parte tratados como engrenagens em uma máquina. Eles recebem várias informações que normalmente envolvem uma recepção oficial, declarações da missão e valores organizacionais, explicações de benefícios e políticas, papelada e talvez um código de ética além de uma lista das penalidades que os violadores do código podem esperar. Algumas horas mais tarde, estão marchando para suas novas funções e os empregadores perderam uma oportunidade de ouro de começar a criar uma força de trabalho capaz de prestar um excelente atendimento.

A Disney contrata milhares de pessoas todos os anos para trabalharem no Walt Disney World. O Casting Center – ou centro de escalação do elenco – lida com 150 a 200 candidatos diariamente e cerca de cem vagas, incluindo transferências e promoções, são preenchidas todos os dias. Antes de 1989, a escalação do elenco era conduzida em uma série improvisada de escritórios e trailers. Mas, em 1989, quando o atual centro foi aberto, a capacidade de causar uma memorável primeira impressão em novos e potenciais membros do elenco foi muito melhorada.

O Walt Disney World Casting Center foi projetado pelo arquiteto Robert A. M. Stern, que imediatamente entendeu o poder que o prédio teria de impressionar novos contratados. Para esse novo membro do elenco, ele explicou, "pode ser a única vez que se vivencia a identidade completa da empresa. Isso é simbolicamente muito importante". Dessa forma, Stern criou um ponto de entrada para a organização ao mesmo tempo elegante e lúdica, um prédio que a crítica arquitetônica Beth Dunlop descreveu como "místico e fantasioso, como se tivesse saído das páginas de um livro ilustrado; um quadro de um filme animado".

Provocar impressões é parte integral do design. Quando os candidatos a membros do elenco entram no prédio, eles abrem portas com maçanetas como as maçanetas falantes do filme "Alice no País das Maravilhas", da Disney. O balcão de recepção fica no segundo andar, nos fundos do prédio. Enquanto percorre o prédio na sua própria jornada pelo buraco do coelho, você faz uma turnê simbólica pela empresa em meio a corredores e rotundas de formatos e perspectivas em constante mudança. No topo de colunas estão estátuas douradas de personagens de quadrinhos, paredes e tetos são decorados com cenas de animações da Disney e a sala de espera conta com uma maquete do Castelo da Cinderela cercada de assentos em formatos estranhos. "Bob [Stern] fez questão de que as pessoas deveriam entrar pelo térreo e se candidatar a um emprego na outra extremidade do segundo andar", explicou Tim Johnson, o diretor de projetos da Disney. "Ele disse: 'Deixe que eles perambulem. Deixe que saboreiem a Disney antes de chegarem lá'".[8]

Imagine-se percorrendo esse estranho e maravilhoso prédio dedicado exclusivamente ao processo de escalação do elenco. Que tipo de mensagem o fato de o Walt Disney World ter investido tanto empenho no design e materiais transmite sobre como a empresa valoriza o seu elenco e, particularmente, como ela esperará que os membros do elenco se comportem? Que tipo de mensagens o seu ambiente de trabalho transmite aos candidatos a emprego e recém-contratados?

Apresentamos a maior rede de supermercados da África do Sul, Pick'n Pay, e o seu tema de atendimento no Capítulo 2. Além do tema inspirador, a empresa também é um excelente exemplo de organização que investe na criação de excepcionais instalações de escalação do elenco. Depois de visitas iniciais ao Disney Institute, a rede começou a projetar e construir sua versão do supermercado ideal. A loja da Pick'n Pay do centro comercial Fourways Crossing, em Guateng, foi desenvolvida como uma loja de treinamento, na qual práticas novas e de classe internacional pudessem ser lançadas estabelecendo referencias de excelência para o restante da empresa.

---

[8] Para uma descrição mais detalhada e fotografias do Casting Center, ver *Building a dream*: the art of disney architecture, de Beth Dunlop (Abrams, 1996). As citações de Robert Stern, Beth Dunlop e Tim Johnson foram tiradas das páginas 77-80.

A magia do elenco

A equipe de 121 membros da loja do Fourways Crossing foi escolhida a dedo dentre solicitações de funcionários de toda a empresa. Em novembro de 1998, todos se reuniram em Lake Buena Vista com o CEO Sean Summers para um treinamento de atendimento de qualidade no Disney Institute. Impressionado com os recursos do Casting Center e da Disney University para dotar os funcionários de *empowerment*, o sr. Summers alterou o design da loja do Fourways Crossing para incluir uma universidade corporativa.

"A construção da loja do Fourways, já planejada, estava em estágio avançado", lembra o gerente geral Danie Boshoff, "mas telefonemas internacionais frenéticos interromperam a construção e o projeto da loja que foi radicalmente alterado para incorporar o que aprendemos na Disney e no Disney Institute – uma experiência ininterrupta entre uma loja excepcional e instalações excepcionais para a equipe. Por que não ter o próprio Pick'n Pay Institute, onde todo o pessoal da rede teria a chance de aprender e vivenciar a excelência no atendimento?".[9] Em novembro de 1998, a loja do Fourways Crossing foi inaugurada com o Pick'n Pay Institute of Leadership and Quality Service, o primeiro do gênero na África do Sul.

PREPARAÇÃO DO ELENCO PARA O ATENDIMENTO

Você pode achar que o Walt Disney World paga um bônus para funcionários extraordinariamente corteses e amigáveis ou que os membros do elenco na verdade são robôs fabricados utilizando alguma fórmula secreta elaborada pelos *imagineers* da Disney. Na verdade, os membros do elenco são contratados no mesmo mercado de trabalho acessado por qualquer outra organização e recebem salários justos. O método não tão secreto pelo qual as pessoas são transformadas em membros do elenco do Walt Disney World pode ser encontrado na forma como elas são treinadas.

Depois de passar em uma audição (sim, a palavra que a Disney usa para uma entrevista de emprego) para um papel, a primeira

---

[9] A citação de Danie Boshoff foi tirada de *Fourways crossing*: substance of excellence (Pick 'n Pay, 1998).

coisa que novos membros do elenco fazem é começar a aprender como prestar o atendimento de qualidade característico do Walt Disney World. O Walt Disney World usa uma abordagem em duas fases para preparar o elenco para o atendimento. A primeira fase é conduzida na Disney University e envolve o ensinamento de conceitos e comportamentos comuns a cada membro elenco por toda a organização. A segunda fase, que exploraremos mais adiante neste capítulo, é realizada no ambiente de trabalho e inclui informações específicas necessárias para o bom desempenho nas diferentes unidades de negócios do resort.

Todos os membros do elenco recém-contratados estreiam na Disney com o Traditions, um programa de orientação de um dia apresentado na Disney University, o braço de treinamento interno da empresa. Uma turma tem em média 45 pessoas e há cerca de 9 aulas por semana, com até 14 aulas por semana nas épocas de pico de contratação. O Traditions oferece muitas informações relevantes e práticas, membros veteranos do elenco atuam como facilitadores do treinamento. A cada ano, é realizada uma escalação voluntária para cerca de 40 assistentes do Traditions. É considerado uma honra trabalhar lá. A cada ano, os membros do elenco escolhidos deixam suas funções cotidianas em intervalos regulares para ensinar no curso. (Por falar nisso, o aprofundamento dos conhecimentos e o treinamento de reciclagem obtidos pelos assistentes do Traditions enquanto atuam como facilitadores do programa é um benefício adicional da utilização de funcionários veteranos em treinamentos.)

A meta do Traditions foi bem resumida por um facilitador veterano do Disney Institute: "Não colocamos pessoas na Disney. Nós colocamos a Disney nas pessoas".[10] Para esse fim, o programa utiliza uma variedade de técnicas de treinamento, incluindo aulas expositivas, histórias, vídeos, exercícios, discussões em grandes e pequenos grupos e experiências de campo. Ele é elaborado para atingir quatro propósitos principais:

---

[10] A citação de Richard Parks foi tirada do artigo de Leon Rubis "Disney Show & Tell" publicado na edição de abril de 1998 da *HR Magazine*.

A magia do elenco

- Aclimatar os novos membros do elenco aos fundamentos da cultura do resort.

- Perpetuar a linguagem e os símbolos, a herança e as tradições, os padrões de qualidade, valores e características e comportamentos do Walt Disney World.

- Criar o senso de empolgação em trabalhar no resort.

- Apresentar aos novos membros do elenco as normas essenciais de segurança.

Já mencionamos brevemente o papel do Traditions como o comunicador inicial do tema e dos padrões de atendimento, mas o treinamento faz muito mais do que isso. Ele explica como o tema e os padrões são colocados em prática no resort. Trata-se de um curso introdutório à produção de espetáculos da Disney.

Por exemplo, o Traditions explica por que a aparência do elenco deve refletir o cenário e a história quando eles se apresentam para os convidados. Os parques temáticos da Disney foram muitas vezes elogiados, e criticados, pelas suas rigorosas diretrizes relativas à aparência pessoal do elenco. Apesar de alguns observadores terem tentado politizar a questão, normas referentes a cortes de cabelo, joias, cosméticos etc. foram criadas por razões lógicas de negócios. Elas são relacionadas direta e claramente ao padrão de atendimento do Espetáculo.

LINGUAGEM DA DISNEY	
Atrações: brinquedos ou shows	**Fantasia:** uniforme
Membro do elenco: funcionário	**Audição:** entrevista
Convidado: cliente	**Apresentação:** trabalho
Palco: áreas dos convidados	**Anfitrião:** funcionário da linha
Bastidores: por trás das cenas	de frente

Para que uma política como essa seja justa com os funcionários além de legal, ela deve ser sistematicamente interpretada e aplicada. Os membros do elenco da Disney são informados das diretrizes de aparência ao longo de todo o processo de recrutamento e, sem exceção, não podem participar do treinamento Traditions e começar a trabalhar enquanto sua aparência pessoal não estiver de acordo. É por isso também que mudanças na política não são implementadas levianamente. Quando o Walt Disney World ajustou recentemente suas diretrizes para permitir bigodes, por exemplo, o que pareceu à primeira vista ser uma decisão simples na verdade demandou muita reflexão de discussões. Nem os funcionários nem o sistema jurídico gostarão de um retorno a uma política mais rigorosa uma vez que ela foi afrouxada.

O Traditions também estende a missão de criar felicidade por meio do entretenimento à linguagem usada pelos membros do elenco. Você já foi exposto ao vocabulário baseado em espetáculos utilizado na Disney; é no Traditions que os membros do elenco a aprendem.

À primeira vista, a linguagem pode soar forçada e em grande parte inconsequente. Mas as palavras criam imagens e pressupostos correspondentes na mente das pessoas. Vejamos, por exemplo, a palavra *convidado*. As expressões convidado insatisfeito e consumidor insatisfeito provavelmente criarão duas imagens diferentes na mente de um funcionário. Os convidados são bem-vindos; consumidores são estatísticas. Se alguém é o seu convidado, você não sente uma obrigação maior de garantir a sua felicidade? A palavra *apresentação* também cria uma imagem singular. Se você se apresenta em um espetáculo, não é mais provável que atue com mais empenho do que quando limpa mesas em um restaurante? A forma como falamos sobre o trabalho de fato faz diferença.

Não subestime o poder de um bom programa de orientação para criar um retrato da organização e de sua cultura na mente dos novos funcionários. Apesar de a história, a missão e os valores do negócio poderem ser tão conhecidos quanto o conto de fadas preferido da sua infância, os novos funcionários ainda não os ouviram. Quando a Dierbergs, Inc., uma rede de 18 supermercados sediada em St. Louis, que emprega 4,5 mil

A magia do elenco

pessoas, decidiu reformular seu novo processo de orientação de funcionários, eles estudaram como o programa do Walt Disney World comunicava a herança e a cultura da empresa. "Nós nos atínhamos à abordagem tradicional de regras e normas", lembra Fred Martels, então executivo sênior de recursos humanos da Dierbergs e hoje líder da consultoria People Solutions Strategies. "Dizíamos às pessoas o que elas podiam ou não fazer e o que levaria à demissão delas. Mas isso não motiva as pessoas. Precisamos falar com o coração delas, não somente o cérebro".

Para atingir essa meta, a empresa criou um novo programa que enfatizava sua história de 150 anos, as quatro gerações de administração familiar e a herança e cultura de atendimento de qualidade. A orientação inclui fotos da história da empresa e histórias de um excelente atendimento ao cliente. Em vez de passar todo o tempo falando sobre as políticas da empresa, um manual de regras é entregue aos funcionários. Eles também são solicitados a lê-lo depois da aula e devolver uma declaração assinada concordando em obedecer às regras.

A Montreat College, da Carolina do Norte, elaborou o primeiro programa de orientação depois que seus administradores visitaram o Disney Institute para um programa copatrocinado pelo Council of Independent Colleges de Washington, D.C., uma associação nacional composta de mais de 480 instituições de ensino superior em artes liberais. A Montreat College, uma faculdade presbiteriana sem fins lucrativos com seis campi satélites e cerca de 1,1 mil alunos e 300 membros da equipe, parece ter brotado das montanhas do oeste da Carolina do Norte. Fundada em 1916, ela foi construída com pedra e madeira das matas da propriedade e a logomarca da faculdade, um arco de sete pedras apresentando uma pedra angular no centro, representa uma das características arquitetônicas mais proeminentes do campus.

Essa logomarca foi a inspiração para o primeiro programa de orientação da história da faculdade, apropriadamente batizado de Keystones (pedras angulares). Da mesma forma como a logomarca da instituição, o novo programa de meio dia foi desenvolvido com base em sete módulos: história e tradições, valores, experiência educacional, vivência acadêmica, vida estudantil, cortesia e eficiência. Durante o treinamento, os novos funcionários são divididos em equipes de seis e recebem uma peça de quebra-cabeças que forma a imagem de um aluno se formando, um símbolo do objetivo final da faculdade. Cada um fica com uma peça do quebra-cabeça e a cada seis meses eles voltam a se reunir para outra sessão de treinamento de duas horas que enfatiza outro aspecto dos sete módulos.

Em lugar de enviar um treinador para as filiais da Montreat, esses membros da equipe vão ao campus principal para o treinamento. "Tínhamos muitas pessoas que simplesmente não conheciam a nossa herança", explicou Lisa Lankford, reitora de admissões e assistência financeira. "Eles não entendiam que seus trabalhos constituíam parte importante de todo o espetáculo educacional na Montreat. Agora estão começando a se dar conta disso."

Então, quando os novos funcionários da Dierbergs Family Markets chegam às lojas ou os novos membros do elenco do Walt Disney World sobem ao palco ou novos professores da Montreat College se colocam diante da primeira turma, todos têm uma ideia da comunidade da qual passaram a fazer parte. A próxima meta da orientação é relacionar essa imagem a comportamentos.

OS COMPORTAMENTOS DO ATENDIMENTO DE QUALIDADE

Nas duas últimas décadas, à medida que o Walt Disney World definia e ajustava seus quatro padrões de atendimento, o programa Traditions também dedicou cada vez mais tempo a ensinar os membros do elenco como concretizá-los. A aula apresenta todos os padrões, mas é particularmente focada nos elementos desses padrões que podem ser aplicados universalmente por toda a organização. Isso significa treinamento sobre os procedimentos de segurança essenciais do resort e os elementos básicos da cortesia.

A magia do elenco

Esses procedimentos e comportamentos universais são ensinados utilizando um exercício simples de interpretação de personagens para avaliar a experiência do convidado chamado de *bom show/show ruim*. Um bom show é qualquer coisa que leva a uma experiência positiva do convidado e um show ruim é... bem, você sem dúvida pode imaginar o que isso quer dizer. Essas expressões, *bom show* e *show ruim*, são utilizadas por todo o resort. Então, quando um membro do elenco apresenta bom desempenho, ele provavelmente receberá um sinal de aprovação de seu supervisor e um vigoroso "bom show!" Por outro lado, quando alguém perde uma oportunidade de atendimento, ele provavelmente receberá uma explicação de como melhorar o "show ruim".

Como a maior prioridade do atendimento de qualidade é a segurança, novos membros do elenco primeiro aprendem a reagir com precisão no caso de um acidente. Depois eles aprendem procedimentos de prevenção de acidentes, desde rotas de evacuação à utilização de extintores de incêndio e técnicas de primeiros socorros de emergência. Até mesmo a utilização segura de gestos é abordada; certamente seria um "show ruim" se um membro da equipe de jardinagem acertasse um convidado ao usar um ancinho para dar indicações.

Gesticular com um ancinho não é apenas rude, mas também perigoso. Depois a Disney University passa um tempo razoável definindo a cortesia na prática e explorando como a cortesia contribui para uma experiência positiva do convidado. O resultado desses esforços é incorporado em uma lista de ações chamada *dicas de apresentação*, que cada funcionário do Walt Disney World aprende no programa Traditions.

As dicas de apresentação são um conjunto de comportamentos genéricos que asseguram que os membros do elenco saibam como agir com cortesia e respeitar a individualidade de cada convidado. O treinamento aborda tópicos que incluem como causar uma boa primeira impressão e oferecer boas-vindas calorosas. Ele explora os efeitos da postura, de gestos e expressões faciais sobre a experiência do convidado. E explica como o tom de voz e o humor podem contribuir com o atendimento, ou prejudicá-lo.

O jeito Disney de encantar os clientes

DIRETRIZES DO WALT DISNEY WORLD PARA O ATENDIMENTO AO CONVIDADO

Faça contato visual e sorria!
- Comece e termine cada contato e comunicação com o convidado com contato visual direto e um sorriso sincero.

Cumprimente e dê boas-vindas a cada e todo convidado
- Use o cumprimento apropriado com cada convidado com quem você fizer contato.
    "Bom-dia/tarde/noite!"
    "Bem-vindo!"/"Tenha um bom-dia."
    "Como posso ajudar?"

- Faça que os convidados se sintam bem-vindos com um cumprimento diferenciado especial em cada área.

Busque o contato com o convidado
- É a responsabilidade de cada membro do elenco procurar convidados que precisem de ajuda ou assistência.
    Ouça as necessidades dos convidados
    Responda a perguntas
    Ofereça assistência (por exemplo: tirar fotos da família)

Proporcione imediata recuperação do atendimento
- É a responsabilidade de todos os membros do elenco tentar, na medida do possível, solucionar imediatamente uma falha no atendimento ao convidado antes de se tornar um problema de atendimento ao convidado.

- Sempre descubra a resposta para o convidado e/ou encontre outro membro do elenco que possa ajudar o convidado.

Mantenha linguagem corporal apropriada o tempo todo
- É responsabilidade de todos os membros do elenco exibir uma linguagem corporal de disponibilidade quando estiver no palco.
    Aparência atenciosa
    Boa postura
    Expressão facial apropriada

Preserve a experiência "mágica" para o convidado
- Sempre se concentre no positivo, em lugar de regras e normas.

- Conversas sobre problemas pessoais ou sobre o trabalho na frente dos nossos convidados são inaceitáveis.

Agradeça cada e todo convidado
- Estenda a cada convidado sinceros agradecimentos na conclusão de cada transação.

- Ofereça a cada convidado um agradecimento ou expressão de apreciação quando ele sair da sua área.

Apesar de a expressão "dicas de apresentação" poder soar relativamente inócua, essas dicas têm um efeito poderoso. No Walt Disney World, elas foram traduzidas em um conjunto de ações

A magia do elenco

comportamentais chamadas de Diretrizes para o Atendimento ao convidado. As diretrizes são resumidas em sete frases e servem a uma variedade de propósitos. Em primeiro lugar, elas definem o comportamento com base nos convidados. Elas criam uma referência em comum para a interação com os convidados e demonstram os elementos da apresentação que perpetuam a cortesia ao estilo Disney. Em segundo lugar, as diretrizes comunicam as responsabilidades dos funcionários. Elas esclarecem as expectativas da empresa referentes à prestação do atendimento para os novos membros do elenco e proporcionam uma base para a prestação de contas. Seguir as diretrizes de apresentação é uma condição para ser funcionário do Walt Disney World. Os membros do elenco que não as obedecerem são sujeitos a ações disciplinares progressivas.

As diretrizes do Walt Disney World para o atendimento ao convidado servem a mais um propósito importante. Elas demonstram maneiras de personalizar o atendimento a diferentes convidados. Práticas como sorrir, cumprimentar e agradecer os convidados são muito bonitas, mas, se essas ações se restringirem a comportamentos mecânicos e automáticos, sua eficácia é enormemente limitada. Elas podem ser mais adequadamente vistas como uma medida de referência mínima para as expectativas e guia para a criação de um atendimento personalizado para convidados individuais.

As histórias de como os membros do elenco do Walt Disney World personalizam o atendimento com base em circunstâncias únicas dos convidados do resort são lendárias. Como por exemplo, o casal com uma criança doente que volta ao quarto e encontra um cartão de melhoras assinado pelo próprio Mickey. São as diretrizes para o atendimento ao convidado que proporcionam o ponto de partida para esse nível de atendimento por parte dos membros do elenco, que as utilizam para criar momentos de atendimento inigualáveis para os convidados – um bom resultado para sete frases curtas.

Depois de participar dos programas do Disney Institute, a LifeCare Hospitals, uma rede de sete instituições de saúde para pacientes em estado crítico da Louisiana com filiais em quatro estados, criou seu conjunto de padrões organizacionais de atendimento que chamou de SKIP (Safety, Kindness, Image, Productivity – segurança, gentileza, imagem, produtividade). A equipe de implementação de 30 membros vinculou esses padrões ao comportamento dos funcionários elaborando o próprio conjunto de dicas de apresentação.

Por exemplo, para o item Segurança, comportamentos específicos são recomendados e ensinados, como assumir a responsabilidade por perigos potenciais, levar os visitantes a seus destinos e oferecer ajuda a pessoas que parecem confusas. Para a Gentileza, as dicas de apresentação incluem contato visual e sorrisos, manter atitude positiva e tom de voz e normas específicas para falar ao telefone. No Walt Disney World, as três ou quatro dicas de apresentação oferecidas para cada padrão não pretendem ser uma lista abrangente de comportamentos. Em vez disso, a LifeCare as elaborou para ser uma medida de referência para começar a traduzir os padrões do SKIP em ações do dia a dia.

As dicas de apresentação da LifeCare foram implementadas com os padrões do SKIP em fevereiro de 2000, com o CEO Merlin Aalborg atuando como mestre de cerimônias. Ao mesmo tempo, os padrões e dicas de apresentação associadas a eles se tornaram parte integrante do processo de avaliação do desempenho dos funcionários. Foi criado um programa de reconhecimento, o Spotlight on Service, no qual gestores que presenciassem funcionários exibindo os novos comportamentos de atendimento poderiam lhes dar vales-presente do SKIP que podiam ser trocados por mercadorias da LifeCare. No programa anual SKIP Goals, os funcionários são solicitados a adotar um comportamento para cada padrão e se comprometer a exibi-lo repetidamente. E, por fim, os comportamentos contrários aos padrões também se tornaram causa de ação disciplinar.

Algumas vezes a estrutura de uma empresa pode apresentar um desafio para a comunicação dos comportamentos que sustentarão seu tema e padrões de atendimento. Por exemplo, a Start Holding, uma agência de emprego temporário sediada em Gouda, Holanda, tem mais de 5,1 mil funcionários em 650 escritórios de atendimento ao cliente localizados na Holanda, na Espanha e na Alemanha e se encontra em rápido crescimento. Para enfatizar a continuidade da iniciativa do atendimento de qualidade, os executivos da empresa a posicionaram como uma iniciativa de liderança que repercutiria em cascata para todas as operações internacionais e domésticas. Para lançar sua iniciativa de liderança, a empresa levou sua equipe de liderança, o conselho de administração e quatro grupos de gestores regionais ao Disney Institute e mais de 500 gerentes de filial a um programa do Institute conduzido na Disneyland Paris.

A Start adotou uma visão para o atendimento, *Nós criamos carreiras*, e quatro padrões de atendimento: Acessibilidade, Confiabilidade, Prestação de Atendimento e Eficiência. Mas a empresa ainda precisava desenvolver e comunicar os comportamentos de apresentação que ajudariam sua ampla equipe de funcionários de filial a prestar o atendimento de qualidade. A resposta da Start foi criar um sistema chamado de Service Box.

O Service Box inclui uma série de vídeos motivacionais e de treinamento enviados aos líderes a cada dois meses, que explicam e exploram um aspecto dos quatro Padrões de Atendimento da Start. Cada escritório agenda uma reunião de treinamento para a equipe que coincide com a chegada do vídeo. É interessante notar que os vídeos são relativamente curtos, com menos de 15 minutos cada, e foram elaborados para servir apenas como um ponto de partida para o aprendizado. O restante de cada sessão de treinamento é dedicado a um *brainstorming* de sugestões para colocar o conteúdo da fita em prática no dia a dia.

Todas as ideias de cada equipe e área operacional são coletadas e disseminadas por meio do que a Start chama de Service Platforms, ferramentas de plataforma projetadas para alavancar o esforço criativo dos funcionários compartilhando as soluções para toda a empresa.

PENSE GLOBALMENTE. EXECUTE LOCALMENTE.

Qualquer pessoa que já tenha passado as férias no Walt Disney World sabe que o resort é bem parecido com um enorme cinema multiplex exibindo uma variedade de filmes animados e interativos ao mesmo tempo. Todos os filmes são divertidos. Todos se relacionam entre si por meio de valores de produção em comum, mas cada um conta uma história diferente e usa um tema diferente. No Walt Disney World, o Contemporary

Resort tem história e tema radicalmente diferentes do BoardWalk Resort. O Future World do Epcot conta histórias diferentes da Hollywood dos anos 1940 recriada no Disney-MGM Studios. E assim por diante.

O primeiro patamar de atendimento prestado pelo elenco, que inclui o programa Traditions e as Diretrizes do Atendimento, une todos os membros do elenco com metas, linguagem e comportamentos em comum e oferece uma ampla visão do que se espera no atendimento de qualidade. Esse patamar ajuda a criar o cinema multiplex que é o Walt Disney World. Mas, para gerenciar todos os filmes diferentes sendo exibidos no cinema, a missão e os valores do atendimento devem ser levados ao nível local. Isso é feito no segundo patamar de atendimento prestado pelo elenco do Walt Disney World com a criação e a comunicação das *culturas de apresentação*.

Uma cultura de apresentação é um conjunto de comportamentos, trejeitos, termos e valores *específicos a cada local* que direcionam e melhoram o papel de um membro do elenco em qualquer espetáculo particular. As culturas de apresentação são desenvolvidas e cultivadas pela gestão e pelo elenco dos resorts e parques do complexo do Walt Disney World. Cada cultura de apresentação inclui missão, visão e valores de apresentação próprios (que são, é claro, alinhados ao tema e aos padrões de atendimento de todo o resort).

Pode parecer perda de tempo criar culturas locais adaptadas em vez de simplesmente definir um sistema único para toda a organização, mas há algumas excelentes razões para a prática. Como já mencionamos, quanto maior e mais diversificada for a organização, mais difícil é criar uma cultura única e coesa que fará sentido para todos. Uma forte cultura local se conecta mais diretamente às responsabilidades diárias dos funcionários e fortalece o senso de responsabilidade e envolvimento na unidade de negócios. Da mesma forma como as dicas de apresentação, uma cultura de apresentação local pode ser extremamente detalhada no que se refere aos comportamentos do elenco. E, talvez o mais importante para a prestação do atendimento de qualidade, isso define e reforça o espetáculo local explorando diretamente a história e o tema da área. O resultado é uma experiência mais memorável para os convidados.

A magia do elenco

Uma das culturas de apresentação mais notáveis do Walt Disney World pode ser vista no Polynesian Resort. O Polynesian constituiu uma parte da visão original de Walt Disney para seu novo parque na Flórida e, aberto desde 1971, foi um dos dois primeiros hotéis da propriedade. Reformado no fim dos anos 1990, ele é um resort de 853 quartos com localização privilegiada perto do Reino Mágico. O tema Mares do Sul e o estilo do resort são bastante descontraídos, ele é muito popular entre os convidados para casamentos e luas de mel.

Um convidado do resort sem dúvida se surpreenderia ao saber que o Polynesian nem sempre teve a excelente reputação que tem hoje. Com efeito, em um passado não muito distante, ser recrutado para se apresentar lá normalmente não era recebido com muito entusiasmo. A propriedade não recebia notas altas em termos de satisfação dos convidados. O que recuperou o Polynesian? O elenco e o sucesso de sua iniciativa de criar e manter a própria cultura inigualável de apresentação.

Sob a liderança do diretor geral Clyde Min, o elenco do Polynesian se encarregou do desafio inspirando-se no estilo e tema do próprio hotel para desenvolver uma nova cultura de apresentação. Eles estudaram as culturas das ilhas do Pacífico Sul e criaram novas relações entre os valores tradicionais da Polinésia e a cultura de apresentação do hotel. O resultado foi um novo nível de atendimento baseado no *ho'okipa*, uma palavra que descreve a hospitalidade polinésia e a disposição de receber e entreter os convidados com cordialidade e generosidade incondicionais.

O elenco do hotel criou a própria declaração de missão ("A nossa família proporciona uma experiência única de hospitalidade compartilhando a magia da Polinésia e o espírito de *aloha* com os nossos convidados e amigos para toda a vida") e sua própria visão do futuro. Essa visão era de um resort que seria um "paraíso tropical luxurioso conhecido pela criação de memórias mágicas para toda a vida". Ela também especificava que o Polynesian estabeleceria um referencial de excelência no setor e seria um lugar para o qual convidados e membros do elenco estariam dispostos a entrar em listas de espera pela oportunidade de visitar e trabalhar.

O jeito Disney de encantar os clientes

OS VALORES DO RESORT POLYNESIAN DA DISNEY

ALOHA: Nós amamos incondicionalmente nossos colegas do Elenco e os nossos convidados.

> **EXEMPLOS DE COMPORTAMENTOS:** Eu me interessarei pelos meus trainees e outros membros do elenco como indivíduos além do trabalho. Eu cumprimentarei cada convidado e membro do elenco com cordialidade e sinceridade.

EQUILÍBRIO: Buscamos a estabilidade e a vitalidade na nossa vida pessoal e profissional.

> **EXEMPLOS DE COMPORTAMENTOS:** Eu organizarei o meu dia para realizar tudo e me aterei ao meu plano. Ajudarei outros que precisem de ajuda se eu terminar antes.

CORAGEM: Seguimos nossas crenças com força e determinação.

> **EXEMPLOS DE COMPORTAMENTOS:** Eu acompanharei cada convidado insatisfeito ou problema até a sua conclusão. Eu darei feedback honesto e solidário, orientarei os outros e aceitarei a orientação e o feedback dos outros.

DIVERSIDADE: Nós buscamos, valorizamos e respeitamos as diferenças no nosso Elenco.

> **EXEMPLOS DE COMPORTAMENTOS:** Eu respeitarei e buscarei conhecer a diversidade do Elenco e dos convidados. Traduzirei informações importantes para membros do elenco que só falam a minha língua nativa.

HONESTIDADE: Lidamos uns com os outros de maneira sincera e direta.

> **EXEMPLOS DE COMPORTAMENTOS:** Eu devolverei todos os objetos encontrados e incentivarei os outros a fazer o mesmo. Serei fiel a mim mesmo e admitirei quando estou errado ou preciso de ajuda.

INTEGRIDADE: Agimos de acordo com as nossas palavras e crenças.

> **EXEMPLOS DE COMPORTAMENTOS:** Eu serei uma figura exemplar positiva o tempo todo e seguirei as diretrizes departamentais. Eu substituirei a negatividade e a crítica por uma atitude positiva.

KINA'OLE: Prestamos um atendimento impecável ao nosso convidado.

> **EXEMPLOS DE COMPORTAMENTOS:** Eu me manterei informado e atualizado sobre novas informações e procedimentos. Realizarei o meu trabalho no máximo da minha capacidade.

MEA HO' OKIPA: Nós recebemos e entretemos os nossos convidados com cordialidade e generosidade.

> **EXEMPLOS DE COMPORTAMENTOS:** Eu sorrirei e iniciarei conversas com convidados e membro do elenco e usarei seus nomes. Eu apresentarei meus trainees aos meus colegas do Elenco e lhes mostrarei a propriedade. Eu farei de tudo para que cada convidado seja especial com toques e interações pessoais. Ajudarei e buscarei atender qualquer necessidade ou solicitação dos convidados para que eles se sintam em casa.

'OHANA: Nós tratamos uns aos outros como membros da família, apoiando, incentivando e ajudando.

> **EXEMPLOS DE COMPORTAMENTOS:** Eu incentivarei e motivarei os outros para fazer com que o nosso Elenco e convidados se sintam especiais. Serei um recurso acessível para ajudar os meus *trainees* e meus colegas do Elenco.

ABERTURA: Nós compartilhamos informações abertamente.

> **EXEMPLOS DE COMPORTAMENTOS:** Eu farei de tudo para me comunicar com pessoas que falam outras línguas. Eu darei o devido reconhecimento aos meus *trainees* e colegas do Elenco quando um trabalho for bem feito.

RESPEITO: Nós tratamos os outros com atenção e consideração.

> **EXEMPLOS DE COMPORTAMENTOS:** Eu respeitarei as opiniões, ideias e sentimentos dos outros. Eu farei de tudo para evitar influenciar os outros de forma negativa. Eu permitirei que os outros cresçam e aprendam com seus erros.

A magia do elenco

Para sustentar as novas missões e visões do resort, o elenco adotou uma série de valores que ampliaram a natureza temática do resort misturando valores corporativos tradicionais, como diversidade e abertura, com valores verdadeiramente polinésios, como *'ohana* (família) e *aloha* (amor e cordialidade). Depois esses valores foram diretamente vinculados aos comportamentos do elenco.

O elenco também identificou e atacou barreiras à satisfação do convidado. Percebendo que o *check-in* demandava um longo tempo de espera e que os convidados não eram recebidos com uma experiência apropriada na cultura rica e amigável das ilhas polinésias, o elenco reformulou o processo. Os membros do elenco da recepção, mensageiros e manobristas se aliaram para criar uma nova sequência de *check-in* que incorporasse uma turnê pelo lobby conduzida pelo elenco, com informações sobre as instalações do resort e uma oportunidade de fazer perguntas. As mudanças não incorreram em custos adicionais e o tempo que cada convidado passava esperando no balcão da recepção foi significativamente reduzido bem como o tempo de espera correspondente pelo atendimento.

A iniciativa de revitalizar o Polynesian Resort rendeu frutos rapidamente. Medidas de satisfação do convidado melhoraram por toda parte, registrando aumentos de 21 a 68%. O retorno de convidados cresceu o suficiente para colocar a propriedade na disputa pelo primeiro lugar nas classificações de Retorno de convidados do Walt Disney World. Os índices de satisfação do elenco aumentaram de percentis na faixa dos 70 a mais de 95 e os custos do resort em termos de indenizações trabalhistas e por acidentes de segurança caíram até se tornarem os mais baixos do Walt Disney World. Eis mais uma estatística que diz muito sobre como a atitude do elenco em relação ao resort mudou: no Dia Traga o Seu Filho para o Trabalho de 1996, 8 crianças visitaram a propriedade; dois anos depois, 113 crianças foram ver onde seus pais trabalhavam.

O emprego de culturas de apresentação locais para interpretar e agregar valor aos temas e padrões de atendimento organizacional está começando a se consolidar na Lehigh Valley Hospital and Health Network (seus padrões de atendimento PRIDE foram discutidos no Capítulo 2). Impressionado com a cultura de apresentação que viu nos All-Star Resorts da Disney em um programa do Disney Institute, o consultor interno de desenvolvimento organizacional Jack Dunleavy levou o conceito para sua organização para utilizá-lo no nível departamental. Enquanto escrevemos estas palavras, o sr. Dunleavy ajudou a instituir cinco culturas de apresentação na LVHHN e uma no consultório particular de um dos médicos do hospital.

Em Radiologia, por exemplo, a equipe adotou um subtema relacionado ao trabalho específico: "Nós *criamos imagens duradouras* de solidariedade, compaixão e excelência no atendimento proporcionando respostas com os nossos testes diagnósticos para clientes de todas as idades". O grupo chegou a criar uma letra de música, cantada com a melodia do tema do programa de televisão *Cheers*. A equipe do departamento interpretou os padrões de atendimento da LVHHN à luz do próprio trabalho e aprendeu e adotou as dicas de apresentação para sustentar a prestação do atendimento.

Uma iniciativa semelhante foi implementada entre os manobristas da LVHHN, responsáveis por operar o serviço de estacionamento gratuito do hospital. O subtema deles é: "*Criamos chegadas impressionantes e despedidas carinhosas* proporcionando primeiras e últimas impressões memoráveis com todos os grupos de clientes". Mais uma vez, a equipe segmentou os padrões de atendimento em comportamentos. Dessa vez, eles reformularam a experiência do convidado ao redor de três segmentos do processo de estacionamento: a chegada do convidado, a identificação de suas necessidades e prestação da assistência adequada, e a saída do convidado.

A CONSTRUÇÃO DA SUA CULTURA DE DESEMPENHO

Construir culturas não é uma ciência. Na verdade, trata-se de um processo relativamente misterioso que, quando benfeito, é capaz de unir a energia e emoções de toda a força de trabalho em uma única e focada direção. Qualquer pessoa que já tenha sido exposta a uma cultura como essa pode lhe dizer que ela proporciona níveis mágicos de atendimento. Com a mesma frequência, e até com ainda mais frequência, as iniciativas de construção de culturas fracassam, deixando para trás declarações grandiosas que não refletem nenhuma realidade existente. Apesar de não podermos oferecer uma fórmula garantida para a criação de uma cultura de apresentação, podemos oferecer algum *insight* na evolução do processo no Walt Disney World.

Se você prestar atenção ao trabalho que produziu novas culturas de apresentação no Polynesian Resort e na Lehigh Valley Hospital and Health Network, verá que as iniciativas de implementação foram realizadas em três fases. Em primeiro lugar, novas visões e missões foram elaboradas para alinhar a força de trabalho à unidade de negócios de forma mais poderosa. Em segundo lugar, os valores conectados com a missão e a visão foram identificados, articulados e vinculados ao comportamento no trabalho. E, por fim, a força de trabalho recebeu carta branca para concretizar a visão de atendimento de qualidade que elaborou.

SEIS DICAS PARA A CONSTRUÇÃO DE CULTURAS

1. **Mantenha a simplicidade.** Todos devem se sentir à vontade com a cultura. Deixe espaço para a individualidade e a personalidade.
2. **Faça que ela seja global.** Todas as pessoas, inclusive a administração, devem aderir.
3. **Faça que seja mensurável.** Crie diretrizes específicas e incorpore-as ao processo de avaliação do desempenho.
4. **Proporcione treinamento e *coaching*.** Incorpore os elementos da cultura ao treinamento dos funcionários e ao *coaching* contínuo de desempenho. Incentive a orientação entre colegas.
5. **Solicite *feedback* e ideias da equipe.** Cultive um senso de responsabilidade e expanda o banco de ideias criativas permitindo que os funcionários contribuam para o espetáculo.
6. **Reconheça e recompense o desempenho.** Desenvolva a motivação dos funcionários por meio de programas de reconhecimento e recompensa formais e informais.

Para criar uma nova visão e missão capaz de unir todas as pessoas que trabalham em uma organização ou unidade de negócios, faz sentido que todos, ou pelo menos uma equipe que represente a todos, façam parte da iniciativa. Eles precisam definir seu trabalho em relação aos clientes e ao tema do atendimento e decidir que papel exercerão na concretização desse tema. Como um exemplo, pense em como a missão do Polynesian é similar ao tema do atendimento do Walt Disney World e ao mesmo tempo inigualável. A equipe também precisa levar em consideração como os funcionários se relacionam uns com os outros e com os clientes. No Polynesian, o elenco decidiu ser uma família e os clientes se tornaram convidados e amigos para toda a vida. Por fim, eles precisaram romper as amarras e sonhar em como seria a unidade se eles se tornassem o que querem ser. Essa mentalidade otimista passa a ser a base da visão compartilhada para o futuro.

A criação de um conjunto de valores de apresentação compartilhados é intimamente vinculada ao estabelecimento da visão e da missão. Alguns estudiosos da administração acreditam que os valores precedem a missão e a visão e outros sugerem o contrário. De qualquer forma, a criação de valores de apresentação compartilhados é um elemento essencial com base no qual as ações e o comportamento dos funcionários serão orientados. A identificação dos valores também deve ser feita em equipe. A equipe precisa levar em consideração quais valores já são aplicados na organização e quais valores são necessários para sustentar a cultura e com que eficiência eles satisfarão as necessidades de atendimento dos clientes. A exemplo do elenco do Polynesian, eles também devem pensar em como vincular os valores a ações determinando comportamentos que reflitam os valores e como esses comportamentos serão mensurados. A fase final da construção de uma cultura de apresentação é dar aos funcionários a liberdade para começar a colocá-la em prática. Eles devem pensar em como atingirão essa missão e visão, como seu trabalho afeta a prestação do atendimento e como podem melhorar esse atendimento. Veja o exemplo da reformulação do processo de *check-in* no Polynesian. Os funcionários também precisam dar início ao trabalho interminável de traduzir missão e estratégia em ação e a praticar os comportamentos que refletem os valores da apresentação. Só então o trabalho de construir uma cultura de apresentação começará a produzir resultados.

A magia do elenco

DICAS PARA UM ATENDIMENTO DE QUALIDADE

Cause uma primeira impressão memorável: Primeiras impressões são impressões duradouras. Comece a transmitir as mensagens certas a funcionários potenciais e novos desde o primeiro contato.

Comunique primeiro o coração e alma da organização: A sua herança, valores, tema do atendimento e padrões de atendimento são mais importante do que a papelada associada a novas contratações. Use as sessões de orientação de funcionários para comunicar a visão e a cultura organizacional.

Fale a linguagem do atendimento; vista-se para o atendimento: A sua aparência e a maneira como fala transmitem uma imagem para o cliente. Certifique-se de que a sua aparência e linguagem reflitam a sua marca de atendimento de qualidade.

Determine um conjunto de dicas de apresentação: As dicas de apresentação são comportamentos genéricos que asseguram que os funcionários saibam agir com cortesia e respeitar a individualidade de cada cliente. Eles compõem a linha de referência para prestar e mesurar o desempenho do atendimento de qualidade.

Construa uma cultura de apresentação: As culturas de apresentação são conjuntos de comportamentos específicos ao local, trejeitos, termos e valores que direcionam e melhoram o papel de um funcionário em uma unidade de negócios específica. Elas utilizam valores, visões e missões compartilhadas para ajudar a força de trabalho a otimizar e personalizar o atendimento.

Capítulo 4

A magia do cenário

A magia do cenário

Walt Disney era um ímã de Oscars. Ele foi indicado para prêmios da Academia em 64 ocasiões, um recorde absoluto. E ganhou 32 estatuetas, também o maior número da história. Depois de subir ao palco algumas dezenas vezes, receber os Oscars, provavelmente começou a se tornar uma atividade um pouco rotineira demais para Walt, mas o primeiro, que ele recebeu em 1932, sem dúvida deve ter sido uma grande emoção. Naquele ano, Walt recebeu o primeiro prêmio da nova categoria Melhor Animação por "Flores e árvores", o 29º filme da série *Silly Symphonies* e a primeira animação produzida utilizando um novo processo de registro de imagens em cores chamado tecnicolor.

A utilização inovadora de cores em uma animação foi a principal razão pela qual "Flores e árvores" foi tamanha sensação tanto entre o público quanto a crítica, mas se tornou notável por outra razão. O curta demonstrava as possibilidades do cenário como nenhuma outra animação já tinha feito. Nele, duas jovens árvores se apaixonam, mas a felicidade é ameaçada por um rival invejoso, no caso, um tronco nodoso. O velho tronco incendeia a floresta para separar os amantes, mas acaba ele próprio consumido pelas chamas. A floresta volta à vida e os jovens amantes se casam. O cenário de árvores e flores e a música, de Mendelssohn e Schubert, comunicam a história à plateia. Na verdade, o cenário, no caso a floresta, que seria apenas o plano de fundo em outra animação, de repente se transformou no filme como um todo.

Em 1938, Walt e os estúdios Disney ganharam dois outros prêmios da Academia. Dessa vez, uma das invenções do estúdio, a câmera multiplano, recebeu um prêmio na categoria Científica e Técnica e o primeiro filme feito com essa câmera, também da série *Silly Symphonies*, intitulado "O velho moinho", ganhou o de Melhor Animação. A câmera multiplano representou outro grande passo para transmitir o pleno potencial do cenário e permitiu que os animadores da Disney superassem o que Bob Thomas, biógrafo de Walt, chamou de "a superficialidade essencial do filme animado".[1] A câmera podia ser

---

[1] A frase foi tirada da p. 134 de *Walt Disney: an american original*, de Bob Thomas (Hyperion, 1994).

O jeito Disney de encantar os clientes

apontada e movida por pilhas de filmes de celuloide e placas de vidro, criando o mesmo efeito que uma câmera de cinema se movendo por um cenário. O resultado foi uma profundidade jamais vista, criando um mundo de fantasia mais convincente porque a plateia o via da mesma forma como via a vida. "Na fantasia, não devemos perder de vista a realidade", explicou Walt.[2]

O ano de 1940 marcou o lançamento de "Fantasia", e a utilização inovadora do cenário por Walt mais uma vez ganhou destaque. Vassouras marchavam, flores e cogumelos dançavam. "Fantasia" também revolucionou na utilização do som, um importante elemento do cenário. O filme utilizou o Fantasound, que gravava música utilizando vários microfones e os reproduzia por meio de um número correspondente de alto-falantes. Walt recebeu um prêmio da Academia pelo importante avanço técnico, mas a deflagração da Segunda Guerra Mundial fechou os mercados estrangeiros para "Fantasia" e o dispendioso equipamento de áudio necessário para apresentar adequadamente o filme fez com que os proprietários de cinemas dos Estados Unidos relutassem em exibi-lo. "Fantasia" custou US$ 2,2 milhões, mais de quatro vezes o custo médio de um longa na época, e fracassou no primeiro lançamento. Quando relançado duas décadas depois, nos anos 1960, o filme cativou rapidamente o público e foi proclamado um clássico da animação.[3]

A insistência de Walt de que os filmes animados devem ser verossímeis para o público para que sejam eficazes foi traduzida diretamente nos cenários da Disneylândia. Você pode achar que a ideia de Walt para o primeiro parque temático foi imediatamente recebida com aplausos, mas não foi esse o caso. No final dos anos 1940, à medida que ficava cada vez mais intrigado com a criação do seu próprio tipo de parque de diversões, ele recebia cada vez menos apoio para a ideia. Roy, seu irmão e parceiro de negócios de longa data e detentor do portfólio da empresa, não via mérito financeiro nesse arriscado e enorme salto para além dos negócios correntes e relutava em financiar a ideia. Em 1952, cansou-se de esperar e, com sua motivação

---

[2] A citação foi tirada da p. 200 de *The Disney version*, de Richard Schickel (Ivan R. Dee, 1997).

[3] Para saber mais sobre "Fantasia" e todos os filmes animados da Disney, ver *Disney's art of animation:* from Mickey Mouse to Hercules, de Bob Thomas (Hyperion, 1997).

característica, seguiu adiante sem o resto da empresa. Ele criou uma nova empresa, a WED Enterprises, Inc., e a financiou com empréstimos, que tiveram como garantia suas apólices de seguro, e a venda da casa de veraneio em Palm Springs. Ele também "sequestrou" os melhores *imagineers* dos estúdios de animação Disney, escondendo-os em escritórios vazios e oficinas ao redor da propriedade para trabalhar no parque.

Como as pessoas que projetaram e construíram a Disneylândia vieram do lado da animação do negócio, elas trataram os cenários como parte integral e importante do parque desde o início. A Disneylândia seria um filme vivo que os convidados vivenciariam ao interagir nele. E, como nos filmes animados, para concretizar essa visão, a plateia teria a oportunidade de mergulhar totalmente na experiência. Cada detalhe do cenário precisaria sustentar a história.

"Perguntaram a Walt por que ele se empenhou tanto para que tudo parecesse realista", lembra o *imagineer* Tony Baxter. "Ele respondeu que o que estávamos vendendo era uma crença na fantasia e na história sendo contada e, se o plano de fundo não fosse verossímil, as pessoas não a comprariam".[4] Olhando para trás agora, o fundamento da mentalidade de Walt é claro. O público não apenas comprou a ideia da Disneylândia, se apaixonou por ela.

O papel do cenário nos parques temáticos da Disney foi revitalizado em meados dos anos 1980 quando Michael Eisner assumiu o comando da The Walt Disney Company. Eisner não tinha muito conhecimento sobre a construção de parques temáticos, mas sabia como criar entretenimento cativante.

"Ele era um executivo da indústria do cinema – ABC, Paramount", explica Peter Rummell, que liderou projetos de construção da Disney ao redor do mundo. "Durante meses, a cada vez que via a sigla DUP [Desenvolvimento de Unidade Planejado] em um plano, estou convencido de que ele achava que queria dizer 'Drogas Usadas por Produtores'. Mas ele trouxe consigo um

---

[4] A citação de Tony Baxter foi tirada da p. 14 de *Building a dream*, de Beth Dunlop (Abrams, 1996).

entendimento completo do que a Disney é; de qual é a sua força; do que ela representa ao mundo. Todos vocês conhecem a máxima do mercado imobiliário 'localização, localização, localização', usada de forma terrivelmente exagerada como uma chave para o sucesso. O lema de Eisner rapidamente passou a ser 'entretenimento, entretenimento, entretenimento'. Ele era sistemático e implacável".[5]

Duas semanas depois de assumir a nova função, Eisner sugeriu a construção de um hotel com as formas do Mickey. Não era viável, mas, para o pessoal da Disney, a disposição do recém-contratado CEO em apostar alto sinalizava um jogo totalmente novo em termos de cenário. Logo depois, Eisner vetou planos para a construção de dois novos, porém arquitetonicamente mundanos, hotéis no Walt Disney World. Foi uma manobra corajosa que colocou em risco um relacionamento de longo prazo com um valorizado parceiro da construção civil, mas uma manobra que se pagou. O Walt Disney World Dolphin Hotel de 1.514 quartos e o Walt Disney World Swan Hotel de 758 quartos substituíram os hotéis cancelados. Projetados pelo internacionalmente renomado arquiteto Michael Graves, eles criaram um novo padrão de cenário no Walt Disney World.

O Swan e o Dolphin sinalizaram um renascimento na arquitetura da Disney. Logo os melhores arquitetos do mundo assinaram contratos para trabalhar para a empresa. No Walt Disney World, resorts como o Grand Floridian, o Wilderness Lodge, o BoardWalk, o Yacht Club e o Beach Club (projetado por Robert A. M. Stern) levaram o cenário a um nível completamente novo. "Os nossos hotéis passaram a ser, por si só, experiências e entretenimento", escreveu Eisner em seu livro *Work in progress*. "Por mais bem-sucedidos que os nossos hotéis sejam em termos artísticos, o tributo mais simples a eles vem dos nossos convidados. Até hoje, a taxa de ocupação em cada um deles chega a mais de 90% – a maior do mundo".[6]

---

[5] *Ibid.*, p. 16.

[6] A citação foi tirada da p. 221 de *Work in progress*: risking failure, surviving success, de Michael Eisner (Hyperion, 1999).

O CENÁRIO QUE PROPORCIONA ATENDIMENTO

Se você perguntar ao empresário típico como sua empresa atende os clientes, ele certamente mencionará pessoas e processos (os tópicos do último e do próximo capítulo, respectivamente) como os principais sistemas de prestação de atendimento. Mas a ideia de que o ambiente de uma organização pode de alguma forma prestar atendimento é mais obscura. Um cenário pode realmente fazer alguma coisa e, se for o caso, como ele seria usado para prestar atendimento?

Na verdade, o cenário pode responder pelos aspectos tanto físicos quanto psicológicos do atendimento. No Walt Disney World, por exemplo, há muitas atrações nas quais os membros do elenco ajudam os convidados a entrar e sair dos brinquedos, mas a maior parte da experiência do atendimento acontece durante o passeio pelo cenário. Nos dias de hoje, com a expansão do *e-commerce*, testemunhamos uma transição transformacional na prestação de atendimento físico dos funcionários ao cenário. Afinal, quando você entra na internet e compra livros, CDs ou qualquer um do aparentemente um zilhão de outros produtos e serviços disponíveis on-line, você é atendido por um cenário, isto é, o site no qual está comprando. Na maioria das transações de *e-commerce*, os clientes são os únicos seres humanos envolvidos na venda. O cenário e os processos eletrônicos estão prestando o atendimento. Funcionários são envolvidos na criação do site e, depois disso, na entrega dos pedidos.

A utilização do cenário para fornecer os aspectos psicológicos do atendimento também é comum. Todas as organizações, independentemente de estarem ou não cientes disso, transmitem mensagens a seus clientes por meio dos cenários nos quais operam. Imagine uma concessionária de carros de luxo e uma revendedora de carros usados. Agora, imagine um parque temático e uma festa de rua. E um varejista de roupas de grife e uma loja de ponta de estoque. Em cada um desses pares, as pessoas estão comprando produtos semelhantes – carros, entretenimento e vestuário. Mas, em cada caso, o cenário no qual elas compram diz muito sobre a qualidade dos produtos e serviços, sem mencionar o preço que eles estão dispostos a pagar.

O fato é simplesmente que tudo, animado e inanimado, comunica algo aos clientes. Não apenas tudo tem algo a dizer como também influencia os clientes. As mensagens transmitidas pelo cenário alteram as percepções dos clientes em relação aos produtos e serviços que vendemos. Como disse R. Buckminster Fuller, um dos pensadores e inventores mais originais do século 20 e o criador do domo geodésico no qual a espaçonave Earth do Epcot, com 55 metros de altura, se baseia, "não se pode mudar as pessoas. Mas, se você mudar o ambiente no qual as pessoas estão, elas mudarão".[7]

Tudo isso para dizer que o cenário é um elemento crítico do ciclo de atendimento de qualidade e que é vital que os cenários sejam projetados e administrados para transmitir mensagens aos clientes e atendê-los com eficácia. Uma breve definição: *O cenário é o ambiente no qual o atendimento é prestado aos clientes, todos os objetos nesse ambiente e os procedimentos utilizados para melhorar a manter o ambiente e os objetos do atendimento*. Dito de forma mais simples, o cenário é o estágio no qual os negócios são conduzidos.

No Walt Disney World, o cenário principal é o resort "dentro do morro". A expressão se originou na Disneylândia, onde Walt construiu um "muro de terra" ao redor da propriedade para delimitar fisicamente as fronteiras e impedir distrações externas, como estradas e edifícios, que poderiam interromper o filme vivo que ele estava criando. "Eu não quero que o público veja o mundo no qual vivem enquanto estiverem no parque", disse Walt. "Eu quero que eles sintam que estão em outro mundo".[8] O grande contraste entre o mundo exterior aos morros da Disneylândia e o mundo do lado de dentro levou os membros do elenco a começarem a referir-se a estar no trabalho como estar "dentro do morro". Basta um breve passeio pelo Walt Disney World para ver como cada detalhe é levado a sério.

---

[7] A citação foi tirada de "The Disney approach to quality service for healthcare professionals, participant's manual".

[8] A citação de Walt Disney foi tirada da p. 90 de *Walt Disney Imagineering* (Hyperion, 1996).

A magia do cenário

OS COMPONENTES DO CENÁRIO

- Projeto arquitetônico
- Paisagismo
- Iluminação
- Cores
- Sinalização
- Design de orientação no piso
- Textura da superfície do piso
- Pontos de referência e placas de orientação
- Detalhes internos/externos
- Música/som ambiente
- Cheiros
- Experiências táteis
- Sabores

Como você provavelmente já notou, o cenário não se restringe a propriedades físicas. Os sites da Disney que descrevem e promovem o Walt Disney World fazem parte do cenário e o mesmo se aplica aos sistemas de atendimento telefônico que solicitam reservas e tiram dúvidas dos convidados e à loja de presentes da Disney no aeroporto de Orlando. O cenário também se estende a outras áreas do negócio. Ônibus e monotrilhos elaboradamente temáticos também comunicam mensagens de atendimento aos convidados.

De acordo com a definição, o cenário também inclui os objetos no ambiente. No Walt Disney World, isso inclui os móveis nos quartos de hotel, os utensílios nos restaurantes, as árvores e as flores na propriedade e, é claro, as atrações nos parques. Todos os objetos contribuem para o entretenimento dos convidados. Se a cama não for confortável, se os talheres forem deselegantes, se as plantas forem mal cuidadas e os passeios forem chatos, quem gostaria de fazer uma segunda visita? Quantas ocorrências de um cenário mal projetado seriam o suficiente para espantar um convidado para sempre? Essas são perguntas para as quais poucas organizações querem saber as respostas.

Por fim, o cenário inclui o trabalho de manter e melhorar o ambiente e os objetos dentro dele. Até aquele mais bem projetado deve ser continuamente mantido e melhorado. Os brinquedos devem ser submetidos a boa manutenção, os quartos devem ser limpos, as plantas bem cuidadas etc. Um cenário mal mantido revela tanto quanto um cenário mal projetado.

O jeito Disney de encantar os clientes

Se tudo isso soa como muito trabalho, é verdade. Dá muito trabalho criar a magia prática – isso implica um grande empenho e é um negócio frágil, totalmente dependente da atenção aos detalhes. Veja como o *imagineer* John Hench o descreve:

> É interessante notar, que, apesar de todo o sucesso, o tema do espetáculo da Disney é algo bastante frágil. Basta uma contradição, um estímulo fora do lugar para negar a experiência de um momento particular [...] coloque uma placa escrita em papel pardo com caneta hidrográfica dizendo "Fique Longe" [...] tire a fantasia de um membro do elenco e o deixe usar jeans e camiseta [...] substitua a melodia do Gay Nineties por rock [...] coloque grama artificial aqui [...] aloque um funcionário rude lá... realmente não é preciso muito para estragar tudo.
>
> Qual é a fórmula do nosso sucesso? É a atenção aos infinitos detalhes, as pequenas coisas, os pontos pequenos, insignificantes, minuciosos aos quais os outros não querem dedicar o tempo, dinheiro ou empenho. No que diz respeito à nossa organização Disney, é assim que sempre fizemos [...] e tem sido a fórmula para o nosso sucesso. Provavelmente explicaremos isso às pessoas de fora ao fim das nossas duas próximas décadas no negócio.[9]

Uma organização que não precisa de mais explicações sobre o cenário é o East Jefferson General Hospital, sediado em Metairie, Louisiana. O East Jefferson, um hospital sem fins lucrativos com 525 leitos, deu início à sua própria jornada de atendimento de qualidade no Disney Institute e utilizou a experiência para implementar uma ampla variedade de melhorias em seu cenário.

Comprometido com o tema de atendimento "Proporcionar cuidado e conforto é a nossa mais elevada missão", o hospital implementou uma série de mudanças de design em tudo, desde a jardinagem das propriedades a um novo projeto para a Unidade de Tratamento Intensivo (UTI). A equipe começou a usar um estacionamento nas proximidades

---

[9] A citação de John Hench foi tirada de "The first twenty years: from Disneyland to Walt Disney World, a pocket history", distribuído aos membros do elenco em 1976.

e pegar um micro-ônibus para ir ao trabalho, de forma que pacientes e visitantes pudessem usar o estacionamento do hospital. Quando um novo estacionamento foi construído, ele foi projetado para que os convidados não tivessem que andar mais de 35 passos antes de encontrar um membro da equipe.

A UTI do East Jefferson é um exemplo de atendimento prestado pelo cenário. Para essa área de tratamento intensivo de 20 leitos, o East Jefferson criou duas fileiras de dez quartos ao longo de um amplo corredor. Quase toda a parede frontal de cada quarto é de vidro, com cortinas para privacidade, que pode ser aberta como uma porta permitindo que aparelhos de raios X e outros equipamentos volumosos possam ser levados para perto do paciente. Há uma estação de revelação de raios X na unidade, de forma que os filmes podem ser processados e analisados no local.

Balcões e gabinetes foram instalados ao longo das paredes internas dos quartos da UTI. Tudo o que um enfermeiro precisa para cuidar do paciente pode ser encontrado a um ou dois passos de distância. Para que os enfermeiros possam se manter em constante contato com os pacientes, a estação tradicional dos enfermeiros foi reprojetada em uma série de balcões com telefones e computadores localizados do outro lado das paredes de vidro dos quartos dos pacientes. Pacientes e enfermeiros estão quase sempre à vista um dos outros. Em 1992, os cuidados aos pacientes e a eficiência das operações incorporados ao cenário da UTI do East Jefferson foram agraciados com o ICU Design Award – prêmio anual de design de UTIs – concedido pela Association of Healthcare Architects, a Foundation of Critical Care Medicine e a American Association of Critical Care Nurses.

IMAGINAÇÃO + ENGENHARIA = *IMAGINEERING*

É impossível falar de cenário sem destinar alguns minutos a comentar sobre a *Walt Disney Imagineering*. A palavra *imagineering* foi cunhada pelo próprio Walt. Quando questionado sobre o sucesso da Disney, ele respondeu: "Não há segredo algum na nossa abordagem. Nós nos mantemos avançando – abrindo novas portas e fazendo coisas novas – porque somos curiosos. E a curiosidade continua nos levando a novos caminhos. Estamos sempre explorando e experimentando [...] chamamos esse processo de *imagineering* – a combinação da imaginação criativa e do conhecimento técnico".[10]

A *Imagineering* também é uma das unidades de negócios da The Walt Disney Company. Com mais de 1,6 mil funcionários, a divisão sediada em Glendale, Califórnia é responsável pela criação de todos os resorts, parques temáticos e atrações, empreendimentos imobiliários, pontos de entretenimento personalizados para diferentes localizações e projetos de ciberespaço/novas mídias da Disney. Quando você se maravilha com as atrações do Walt Disney World, com seu detalhamento e efeitos especiais, está prestando uma homenagem ao trabalho dos *imagineers*. Eles são as pessoas que concebem e depois projetam e constroem os cenários. O lema deles: *Se você puder sonhar, pode fazer.*

Como os *imagineers* criam cenários que concretizam os padrões e o tema do atendimento do Walt Disney World? O vice-presidente do conselho Marty Sklar deu uma resposta para essa pergunta complexa quando criou uma lista de princípios de design de cenários que chamou de os Dez Mandamentos do Mickey. "Eles resultam do processo de *imagineering* e do que aprendi com os meus principais mentores, Walt Disney e John Hench", explica Marty. Eles preparam o terreno para o resto deste capítulo.

Os dez mandamentos do Mickey

1. **Conheça o seu público:** Antes de criar um cenário, desenvolva um sólido entendimento de quem o usará.

2. **Entre na pele dos seus convidados:** Isto é, nunca se esqueça do fator humano. Avalie o cenário do ponto de vista do cliente vivenciando-o como um cliente.

3. **Organize o fluxo de pessoas e ideias:** Pense no cenário como uma história e conte essa história de forma sequencial

---

[10] A citação de Walt Disney foi tirada da p. 9 de *Walt Disney Imagineering* (Hyperion, 1996).

A magia do cenário

e organizada. Incorpore a mesma ordem e lógica ao design do movimento dos clientes.

4. **Crie um "*wienie*":** Tomada de empréstimo do jargão dos filmes mudos, a palavra *wienie* representa o que Walt Disney chamava de ímã visual. Ela representa um marco visual utilizado para orientar e atrair clientes.

5. **Use linguagem visual:** A linguagem nem sempre é composta de palavras. Use as linguagens de cor e forma para comunicar-se por meio do cenário.

6. **Evite excessos, crie surpresas:** Não bombardeie os clientes com informações. Deixe que eles escolham as informações que quiserem, quando quiserem.

7. **Conte uma história por vez:** Misturar várias histórias em um único cenário pode ser confuso. Crie um cenário para cada grande ideia.

8. **Evite contradições; mantenha a identidade:** Cada detalhe e cada cenário devem sustentar e estender a missão e a identidade organizacional.

9. **Cada grama de atenção proporciona uma tonelada de prazer:** Proporcione o maior valor aos seus clientes criando um cenário interativo que lhes dê a oportunidade de exercitar todos os seus sentidos.

10. **Continue assim.** Nunca se entregue à complacência e sempre mantenha o seu cenário.

Com os mandamentos do *imagineer* em mente, passemos para duas importantes utilizações do cenário: a capacidade de transmitir mensagens aos clientes e a sua utilização para orientar a experiência do atendimento.

TRANSMISSÃO DE UMA MENSAGEM COM O CENÁRIO

À medida que os convidados passam de uma atração a outra no Walt Disney World, novas histórias são contadas. Essas histórias, ou temas, mudam de um espetáculo para o outro e de um parque ao outro. Elas se estendem a hotéis e restaurantes. O cenário exerce um papel fundamental na sua concretização, quando sustenta e estende a história sendo contada, ele está enviando a mensagem correta.

Um dos vários exemplos disso pode ser visto na entrada do Reino Mágico. Ao chegar ao portão principal, você apresenta o seu bilhete e entra no parque passando por catracas. Logo está em um *lobby* a céu aberto, com telefones e toaletes, e, assim que passa pelo *lobby*, entra em um de dois túneis que levam à praça principal da Main Street. As paredes dos túneis são cobertas de pôsteres "anunciando" as atrações que você encontrará. Ao sair dos túneis, mesmo de manhã cedinho, você sente o cheiro de pipoca feita na hora, em carrinhos posicionados perto da saída dos túneis. A experiência de entrar no parque foi projetada para lembrar os convidados do prazer de entrar em um cinema. Há a bilheteria e a catraca, o *lobby*, os corredores que levam às salas de exibição com pôsteres apresentando as próximas atrações e até mesmo a pipoca.

À medida que as histórias mudam, o cenário também deve mudar. O Walt Disney World é famoso pela beleza de seu paisagismo, mas ninguém ao entrar na Haunted Mansion, a mansão assombrada, diria que ela é bem cuidada. Enquanto os convidados esperam na fila para entrar na atração, eles se veem sob um toldo que bloqueia a forte luz do sol da Flórida. Eles passam por um cemitério abandonado no qual as folhas são deixadas onde caíram das árvores e as plantas são selvagens e atrofiadas devido à falta de luz. Dentro da mansão, poeira e teias de aranha são vistas por toda parte. Não é fácil manter esse nível de desordem. O parque compra poeira em sacos de dois quilos e meio e a pulveriza pela atração com uma espécie de aspirador de pó ao contrário. As teias de aranha são feitas com um líquido especial e se formam por meio de um processo secreto.[11]

---

[11] Ver *Walt Disney World 2000: the official guide*, da birnbaum (Hyperion, 1999) para descrições das atrações da Disney. A Haunted Mansion é descrita na p. 102.

A magia do cenário

Os resorts na propriedade também fazem boa utilização das mensagens do cenário. O Wilderness Lodge se localiza ao lado do Contemporary Resort, mas o mundo moderno nunca se impõe ao cenário do Oeste americano do Lodge. Os convidados não conseguem ver o Contemporary; a visão é deliberadamente bloqueada. Eles entram no Lodge percorrendo uma estrada tortuosa flanqueada por altos pinheiros e repleta de postes de luz antigos e uma placa indicando um ponto de Travessia de Ursos. Passe diretamente pelo *lobby* principal e saia do prédio, você terá a ampla visão de um lago selvagem, lembrando os convidados dos espaços abertos e das maravilhas naturais dos parques nacionais dos Estados Unidos. Para que não tenha a impressão de que a Disney consegue controlar tudo, observe o musgo espanhol que cresce nos pinheiros da propriedade. Ele não cresce no Oeste dos Estados Unidos, mas, por mais que a equipe de jardinagem tentasse, eles não conseguiram impedi-lo de crescer na Flórida. E não tiveram outra opção a não ser se curvar diante da Mãe Natureza.

A Disney não é a única organização que conta histórias. Cada organização conta suas próprias histórias inigualáveis aos seus clientes e essas histórias devem ser sustentadas e estendidas pelo cenário. A PricewaterhouseCoopers (PwC), por exemplo, potência dos serviços profissionais sediada em Nova York, envia uma mensagem cativante aos funcionários potenciais tomando de empréstimo o conceito de cenário do Walt Disney World. Maior empresa de contabilidade, auditoria e consultoria do mundo, a PwC emprega globalmente 155 mil pessoas e utiliza um programa de estágio para atrair mais de mil dos melhores e mais brilhantes estudantes universitários. Uma parcela significativa dos trainees da PwC acaba trabalhando em período integral para a empresa, de forma que convencer os estudantes a aceitar convites para o programa é um importante pré-requisito para atrair e reter os melhores novos talentos disponíveis. É por isso que a PwC levou o conceito de cenário do Walt Disney World, bem como o treinamento do Disney Institute, para o jogo.

Em 1998, a PwC concluiu seu programa de estágio anual levando toda a turma de *trainees* ao Walt Disney World para cinco dias de treinamento e diversão que eles chamaram de Discover the Magic.

Sucesso instantâneo entre os estudantes, o programa transmite uma mensagem convincente sobre como a PwC valoriza o potencial deles. "O passeio parece resumir o que seria um programa empolgante de estágio do início ao fim", disse Kevin Post, um trainee da Lehigh University. "A ideia de viajar à Flórida no final demonstrou um enorme comprometimento. Ficou claro que a PwC reconhecia que o seu maior ativo era o indivíduo."[12] O programa foi mantido desde então.

Para provar ainda mais o ponto, desde que o Discover the Magic teve início, os índices de aceitação de trainees continuam a subir. E, em 1999, um levantamento conduzido pela Universum International revelou que a consultoria era considerada a empregadora mais ambicionada dentre 180 empresas por 3,1 mil estudantes de administração de 46 universidades.

Outra organização que tem os estudantes entre seus clientes é a Wesley College de Dover, Delaware, uma faculdade particular com 1,8 mil alunos afiliada à Igreja Metodista Unida. Depois de participar de um seminário para o Conselho de Faculdades Independentes no Disney Institute, os administradores da Wesley decidiram se beneficiar mais do cenário durante as sessões conduzidas para apresentar aos estudantes potenciais e suas famílias a mais antiga faculdade privada de Delaware (fundada em 1873). "Precisávamos ajudar o pessoal de admissões a fazer mais do que apontar para um prédio e dizer 'este é o prédio de ciências'", explica Lorena Stone, vice-presidente interina de Questões Acadêmicas. "Precisávamos contar uma história memorável durante nossas turnês pelo campus."

A nova sessão de apresentação não é muito mais demorada do que a antiga, mas inclui um novo percurso e roteiros elaborados, de acordo com a dra. Stone, "para mostrar a vida universitária aos estudantes". Por exemplo, a turnê agora começa no anfiteatro, onde ocorrem as cerimônias de formatura da faculdade e os estudantes potenciais têm um vislumbre de onde podem estar quatro anos depois. No Cannon Building, onde são realizadas as aulas de ciências, o guia de admissões conta a história de Annie J. Cannon, uma

---

[12] Kevin Post é citado em "The price of admission", *Human Resource Executive*, 16 jun. 2000.

A magia do cenário

famosa astrônoma que lecionou na faculdade e inventou um sistema de identificação de estrelas utilizado até os dias de hoje. E, na Escola Comunitária do Campus, que oferece programas educacionais para crianças da região, os aspirantes a professores têm uma boa ideia da experiência de campo que podem obter sem precisar sair do campus. Na Wesley, o cenário está ajudando a vender a faculdade a estudantes potenciais.

Um bom exercício para entender melhor as mensagens enviadas pelo cenário é visualizar uma loja da qual você é cliente ou, melhor ainda, visitá-la. Vá até a entrada e olhe para a sinalização e o paisagismo. Que impressão esses elementos transmitem sobre o negócio que é realizado dentro do prédio? Entre no prédio. Olhe a entrada. Fica claro para que lado ir? O ambiente é limpo e organizado? O que ele lhe diz sobre a empresa? Continue a observar o cenário percorrendo o processo de fazer uma compra. A cada passo, pense no que o cenário está informando. Agora, volte à sua organização. Analise-a como se fosse um dos seus clientes e repita o exercício. O que o seu cenário diz aos clientes?

Algumas vezes, olhar através dos olhos de um cliente demanda um ajuste de perspectiva. Os *imagineers* da Disney são famosos por usar protetores de joelhos e engatinhar pelos parques para vivenciá-los do ponto de vista de uma criança. Da próxima vez que você percorrer a Main Street do Reino Mágico observe como as janelas das lojas são altas, se estendem até perto do chão. Elas permitem que as crianças vejam o que está sendo exposto com o mesmo conforto dos adultos.

Como declarou John Hench, contar uma história por meio do cenário significa ajustar os detalhes. Uma organização não pode transmitir aos clientes uma mensagem verossímil sobre o atendimento de qualidade a menos que ela seja sustentada por cada detalhe do cenário. Uma lata transbordando de lixo ou uma planta morta podem desgastar uma mensagem sobre a qualidade do seu produto ou a atenção a seus clientes em um único vislumbre. Uma placa com letras faltando ou palavras com erros de ortografia revela algo sobre você aos seus clientes. Um site com links que não levam a lugar algum ou uma página da internet que não é adequadamente carregada transmite uma mensagem negativa. Quando você estiver contando uma história aos seus clientes, certifique-se de que o cenário está transmitindo mensagens que reforçam a sua história.

COMO ORIENTAR A EXPERIÊNCIA DO CONVIDADO

O cenário pode fazer muito mais do que simplesmente causar uma impressão na mente do cliente. Ele também pode ser utilizado para ajudar os clientes durante a experiência do atendimento. Indicadores no cenário explicam onde os clientes estão e para onde estão indo. Eles sinalizam mudanças e dão instruções. Quando os componentes do cenário são utilizados para instruir os clientes, dizemos que eles orientam a experiência do convidado.

Qualquer pessoa que já tenha visitado o Reino Mágico sabe que o parque temático foi construído ao redor de uma rotatória, ou entroncamento central. O entroncamento é um elemento comum nos parques da Disney. O design chegou à Flórida diretamente da Disneylândia, onde Walt Disney o utilizou pela primeira vez para orientar os convidados.

"Este é o entroncamento da Disneylândia, de onde você pode entrar nos quatro mundos", explicou Walt ao seu futuro biógrafo Bob Thomas durante uma visita ao parque em 1955, antes da inauguração. "Os pais podem se sentar à sombra aqui se quiserem enquanto os filhos visitam um dos locais. Eu o planejei para que cada ambiente saísse diretamente do entroncamento. Sabe, quando você vai a uma grande exposição, você anda e anda até os pés doerem. Isso sempre acontece comigo. Eu não quero pés doendo aqui. Eles fazem com que as pessoas fiquem cansadas e irritadas. Quero que elas saiam daqui felizes. Elas poderão visitar todo o local sem andar mais de alguns quilômetros".[13]

O design do entroncamento de Walt faz mais do que aliviar pés cansados. Ele também direciona os convidados. No Reino Mágico do Walt Disney World, há uma portaria para o parque, que conduz

---

[13] A citação foi tirada da p. 13 de *Walt Disney*: an american original, de Bob Thomas (Hyperion, 1994).

os convidados à Main Street. Da Main Street só é possível seguir em uma direção, para frente, na direção do entroncamento que oferece acesso direto a cada uma das áreas do parque e atua como ponto de retorno central para o fluxo por todo o parque. Pairando sobre o entroncamento pode-se ver um ponto de referência, o Castelo da Cinderela, a estrutura mais visível do parque. O castelo atrai os convidados de volta à Main Street para o coração do parque. Ele é o "*wienie*", o mais importante de todos os ímãs visuais do Reino Mágico.

Os convidados também podem passar de uma área à outra no Reino Mágico e, quando fazem a transição, eles vivenciam outro conceito tomado de empréstimo do mundo dos filmes: uma transição do tipo *cross dissolve*. A transição do tipo *cross dissolve* é utilizada para conduzir os expectadores de um filme de uma cena à próxima. Os *imagineers* da Disney explicam como isso funciona nos parques:

> Um passeio da Main Street à Adventureland é uma distância relativamente curta. Mas o visitante vivencia uma enorme mudança no tema e na história. Para que a transição seja ininterrupta, há uma fusão gradual de folhagens, cor, som, música e arquitetura temática. Até as solas dos pés sentem uma mudança no calçamento que diz explicitamente que algo novo está por vir. O cheiro também pode ser um elemento em uma transição dimensional do tipo *cross dissolve*. Com a brisa morna de verão, você sente um vago e doce aroma de flora tropical e condimentos exóticos ao entrar na Adventureland. Quando todas essas mudanças são vivenciadas a transição *cross dissolve* é completa.[14]

Os espaços entre duas áreas distintas quaisquer e outras áreas periféricas, como estacionamentos e salas de espera, são locais especialmente importantes nos quais o cenário é utilizado para a prestação do atendimento. Os clientes normalmente têm baixas expectativas nessas áreas intermediárias e pequenos investimentos em esforço podem resultar em impressões excepcionais.

---
[14] A citação foi tirada da p. 90 de *Walt Disney Imagineering* (Hyperion, 1996).

O jeito Disney de encantar os clientes

O entroncamento central e a transição do tipo *cross dissolve* são dois grandes exemplos de como o cenário orienta os convidados no Walt Disney World, mas há muitos outros sinais no cenário que direcionam os convidados. O paisagismo é um importante indicador de direcionamento e a sinalização é um orientador óbvio. A cor também pode dar indicativos direcionais. Por exemplo, os carrinhos de sorvete do parque são geralmente azuis, indicando uma guloseima refrescante, os de pipoca são vermelhos, indicando uma guloseima quente.

O University of Chicago Hospitals & Health System (UCH) é um complexo médico muito bem conceituado com 639 leitos localizado na zona sul de Chicago. Em 2000, o *U. S. News & World Report* o classificou entre os 15 melhores hospitais do país e como o melhor do estado. Cliente do Disney Institute, o UCH avaliou cada detalhe da experiência do atendimento e expandiu sua definição de cenário muito além das fronteiras de sua propriedade para assegurar que o cenário realizasse um trabalho tão bom quanto a equipe de especialistas para orientar os pacientes.

"Nós traçamos o fluxograma da experiência desde o momento em que paciente sai de casa até o momento em que ele volta para casa – incluindo detalhes como as placas nas ruas e que tipo de materiais de apoio proporcionávamos antecipadamente", explica Jeff Finesilver, vice-presidente e membro do conselho do Centro de Medicina Avançada do UCH. "Também criamos uma experiência de estacionamento com manobristas – o Centro de Medicina Avançada agora opera a mais intensa experiência de estacionamento com manobristas em toda a cidade de Chicago. Também analisamos os elementos arquitetônicos, da sinalização nas ruas ao elevador e a sinalização no saguão de entrada – todas as áreas de palco e dos bastidores – para manter o efeito decorativo e facilitar uma experiência tranquila para os visitantes".

A utilização do cenário como ferramenta de orientação não se restringe ao espaço físico. Ele também funciona no espaço virtual. Todos já passamos pela experiência de nos perdermos em um labirinto de atendimento eletrônico automatizado só para chegar a um beco sem saída que não dá outra alternativa a não ser desligar e começar tudo de novo. Quando os clientes ligam para a sua organização, com que eficiência o sistema telefônico os conduz até o destino desejado? Os sites podem ser ainda mais irritantes. Todo comprador on-line já teve a experiência de encher um carrinho de compras eletrônico com mercadorias só para vê-lo desaparecer em um cyberabismo a caminho do caixa. O seu site foi projetado para ser intuitivo? Ele interrompe os clientes no meio das transações? O cenário precisa ser administrado onde quer que os clientes tenham contato com você.

OS CATIVADOS CINCO SENTIDOS

Beneficiar-se ao máximo do cenário para melhorar a experiência do cliente implica projetar tendo em vista os cinco sentidos. As pessoas vivenciam o ambiente e coletam impressões por meio de visão, audição, olfato, tato e paladar. Cada sentido oferece uma oportunidade de sustentar e melhorar o espetáculo criado para os convidados.

Visão

Cerca de 70% dos receptores sensoriais do corpo humano se localizam nos olhos, fazendo da visão o maior transmissor do cenário. Obviamente, como já observamos nos nossos exemplos, o Walt Disney World foi projetado para exibir visões prazerosas e divertidas para onde quer que os convidados olhem. As linhas de visão são o objeto de muita consideração. O que você vê e, também importante, o que você não vê, da janela do quarto no hotel ou de qualquer outro ponto da propriedade é meticulosamente planejado.

A cor é um elemento importante nos parques. Muitos convidados notam o incomum esquema de cores roxo e vermelho nas placas de sinalização das vias públicas no Walt Disney World e nas proximidades do resort. Como um experimento, bandeiras de diferentes cores foram espalhadas pela propriedade e os convidados foram solicitados a responder de quais eles se lembravam de ter visto. O roxo e o vermelho foram as cores lembradas com mais frequência.

Os *imagineers* são especialistas na utilização das cores e criaram um "vocabulário de cores" próprio, que define como certas cores e padrões influenciam os convidados. "Projetos diferentes requerem utilizações diferentes das cores", explica Nina Rae Vaughn, ilustradora da *Imagineering*. "Se um projeto quiser comunicar 'diversão', como no Mickey's Toontown [da Disneylândia], eu farei experimentos com cores vivas, aplicando cores mais vivas sobre cores mais profundas. Se a ideia for transmitir 'aventura', como no Indiana Jones Adventure, usarei cores carregadas de ação e empolgação. São os vermelhos-fogo e laranjas, com tons de cores complementares como azuis, que fazem com que as cores quentes fiquem ainda mais vibrantes".[15]

Audição

Os sons são causados por vibrações com variações infinita de tom, timbre e volume. Ao projetar o cenário, as únicas vibrações que os convidados ouvem devem ser positivas. Se você já se viu incapaz de tirar da cabeça a melodia de uma atração da Disney, como It's a Small World After All, você conhece o poder do som no cenário. Como diz John Hench, "As pessoas não saem das atrações assobiando a arquitetura".[16]

Para ter uma ideia do nível de sofisticação dos sistemas de som no Walt Disney World, ouça os desfiles na Main Street. Um único membro do elenco manuseando uma mesa de mixagem controla o áudio dos desfiles. Alto-falantes nos carros alegóricos são sincronizados com 175 alto-falantes ao longo do percurso, de forma que não importa o ponto que você escolher para assistir o desfile, estará sempre cercado pelo som. Como a trilha sonora se movimenta junto com o desfile? Há 33 zonas de som ao longo do percurso do desfile e sensores instalados na Main Street. À medida que cada carro alegórico aciona um sensor, a trilha sonora para esse carro "se move", acompanhando-o.

Talvez a utilização mais divertida do som na propriedade seja a atração Sounds Dangerous do Disney-MGM Studios, estrelada pelo ator e comediante Drew Carey. Essa aventura de áudio 3-D acompanha Drew

---
[15] *Ibid.*, p. 95.
[16] *Ibid.*, p. 130.

enquanto ele tenta solucionar um mistério. Mais da metade do popular show ocorre na mais completa escuridão e toda a ação é comunicada apenas com o som.

Olfato

O nariz humano tem cerca de 5 milhões de células receptoras e fica a uma pequena distância do cérebro. Os aromas são armazenados na memória de longo prazo. Com efeito, cientistas descobriram que, se você associar uma lista de palavras a cheiros, lembrará melhor das palavras. No Walt Disney World, os cheiros são utilizados para ajudar a criar memórias mágicas.

Já mencionamos os carrinhos de pipoca posicionados nos túneis de entrada para o Reino Mágico. Os pipoqueiros não vendem muita pipoca às 8h30 da manhã, mas o milho já está estourando. O cheiro de pipoca transmite a mensagem do parque: um filme vivo. A padaria da Main Street deliberadamente desprende o cheiro de pão quentinho que acabou de sair do forno para sustentar a história das cidades pequenas americanas.

Tato

A pele é o maior órgão do corpo humano e o tato é o sentido que reside nela. Não importa se provenientes das mãos, dos pés ou do rosto, as pessoas recebem muitos dados das propriedades táteis do ambiente e dos objetos nele contidos. No Walt Disney World, o tato é levado em consideração em calçadas, atrações, hotéis, restaurantes e em toda propriedade.

A sensação da água é parte integral de muitas atrações. Água é respingada nos convidados para intensificar a experiência do Catastrophe Canyon durante o passeio no Disney-MGM Studios Backlot Tour, que leva os visitantes aos bastidores de um estúdio de verdade, e no show MuppetVision 3-D de Jim Henson. Os parques aquáticos e piscinas do resort se concentram no tato. Os pequenos convidados adoram as fontes-surpresa espalhadas por toda a propriedade.

Eles passam horas tentando prever de onde e quando o próximo jato de água virá. O tato, ou a falta dele, também é o sentido explorado quando o elevador do The Twilight Zone Tower of Terror se solta e mergulha da altura de 13 andares. Para intensificar a experiência, os *imagineers* criaram um brinquedo que cai ainda mais rápido do que a velocidade da queda livre.

Paladar

A boca humana tem cerca de 10 mil papilas gustativas e cada uma contém aproximadamente 50 células gustativas que transmitem dados ao nosso cérebro. Os restaurantes e lanchonetes do Walt Disney World tentam satisfazer o maior número possível dessas células com uma ampla variedade de experiências de degustação.

Além dos mais de 300 restaurantes servindo uma ampla variedade de alimentos, os cardápios mudam de acordo com o cenário. De coxas de peru na Frontierland ao caramelo ligeiramente salgado do Board Walk, os sabores acompanham o cenário. O World Showcase, no Epcot, é um passeio de dois quilômetros pela culinária global, onde apenas alguns passos separam o visitante do sushi no Japão a um *fettuccine* recém-preparado na Itália.

Visão, audição, olfato, tato e paladar – projetar e prestar um atendimento de qualidade significa cativar todos os cinco sentidos do seu cliente.

NO PALCO E NOS BASTIDORES

Outro importante fator a ser considerado na concretização de experiências de qualidade para o cliente por meio do cenário é a separação de atividades no palco e nos bastidores. No Capítulo 1, quando apresentamos o conceito de magia prática, falamos sobre a distinção entre estar no palco e nos bastidores no Walt Disney World. O "palco" são todas as áreas públicas do parque nas quais os convidados passeiam livremente e o atendimento é prestado. Os "bastidores" são todas as áreas por trás das cenas às quais os convidados não têm acesso,

A magia do cenário

onde ficam todos os mecanismos e tecnologias responsáveis pelo funcionamento da propriedade (e todas as pessoas que os operam) e onde os membros do elenco podem transitar livremente e se preparar para entrar no palco. Ambos fazem parte do cenário como um todo.

A primeira e melhor razão para manter as áreas de palco e bastidores separadas é que qualquer coisa que não sustente e melhore a experiência do atendimento de qualidade, por definição a prejudicará. Nenhum convidado em um hotel precisa ver a lavanderia ou a central elétrica. A maioria dos clientes dos restaurantes considerará pilhas de louças sujas uma visão nada apetitosa.

Em segundo lugar, é uma despesa desnecessária projetar e manter áreas de bastidores nos mesmos padrões das áreas de palco. Com efeito, equipamentos de iluminação dispendiosos e objetos decorativos delicados não têm muitas chances de sobreviver em corredores onde carros mecanizados e empilhadeiras transportam materiais.

Por fim, a presença de clientes é uma distração para os funcionários que trabalham por trás das cenas. Um eletricista que conserta um disjuntor queimado não pode dar atenção a um convidado. Igualmente importante, os funcionários precisam de um lugar para relaxar. É importante dar aos membros do elenco uma verdadeira pausa. Você não verá filmes passando ou música da Disney tocando nas lanchonetes ou áreas de descanso dos funcionários na propriedade. Os membros do elenco vão a esses locais para comer e descansar; eles não estão trabalhando.

No Reino Mágico, a separação de palco e bastidores demandou um meticuloso planejamento. Construído em uma área pantanosa, onde um lençol freático se encontra na superfície do solo ou muito perto dela, o parque não pôde se dar ao luxo de ter subsolos. Em vez disso, o terreno precisou ser elevado para que o piso térreo do local pudesse ser utilizado para as instalações de energia elétrica, gás, água, telefone etc. A área pública do parque foi construída sobre a superfície elevada, no primeiro andar. A área dos bastidores do piso térreo é chamada de *utilidor* (como a Disney chama um "corredor de utilitários").

Os *utilidors* são áreas de trabalho, portanto são limpos, práticos, construídos com materiais (como blocos de concreto) e pintados de cores (como cinzas e verdes institucionais) que você não verá no palco.

Diferentemente dos passeios acima, os corredores se estendem em linha reta e são projetados para que os membros do elenco cheguem aos seus destinos o mais rápido possível. Utilizando o *utilidor* sob o Reino Mágico, por exemplo, os membros do elenco podem vestir suas fantasias e chegar a qualquer ponto do parque em questão de poucos minutos. Dessa forma, não há necessidade de se preocupar com um pirata surgindo na futurista Tomorrowland.

Os *utilidors* são ligados a outras áreas de bastidores "acima" da superfície. Essas áreas muitas vezes se localizam a apenas alguns centímetros das áreas de palco, mas, graças à utilização de tapumes visuais, os convidados nunca os veem. Na Main Street, por exemplo, as ruas laterais muitas vezes terminam em um portão ou portal adequadamente decorado com uma placa educada indicando uma área restrita a membros do elenco. Do outro lado da porta está um ambiente que mais se parece com os fundos de um supermercado ou uma fábrica do que um parque temático. A visão do lado de dentro do parque é bloqueada pelo design do próprio cenário. Se um prédio precisa de um segundo andar para bloquear a visão, ele é construído.

O Grupo Volkswagen, sediado em Wolfsburg, Alemanha, que tomou de empréstimo seu cenário do Walt Disney World para criar um lançamento memorável nas concessionárias para o New Beetle, incorporou a distinção entre palco/bastidores no Volkswagen Marketplace, o design ideal para suas concessionárias ao redor do mundo. Um aspecto do projeto do Marketplace foi a construção de áreas de bastidores para o pessoal de vendas. Trata-se de um lugar onde eles podem sair do palco, descansar ou comer. Ele também é utilizado como área de reuniões e treinamento.

"Os vendedores precisam de um lugar para relaxar um pouco sem parecer rudes aos clientes, de forma que passamos essas funções para os bastidores", diz Bill Gelgota, da Volkswagen América do Norte. "Queremos controlar o nosso ambiente como a Disney faz. O padrão mundial de design nos ajuda a controlar e reforçar a experiência que acreditamos que o cliente deseja ter."

Com toda a ênfase da Disney na separação das áreas de palco e bastidores do cenário, foi um tanto irônico descobrir que os convidados queriam visitar os bastidores. Acontece que eles tinham uma grande

A magia do cenário

curiosidade de saber como as histórias do Walt Disney World ganhavam vida. Em resposta a inúmeras solicitações para dar uma olhada por trás das cortinas, a Disney criou uma dúzia de passeios por trás das cenas que são, naturalmente, meticulosamente programados, da mesma forma como os entretenimentos no palco. Se os clientes quiserem ver como os seus produtos e serviços são criados, um olhar meticulosamente elaborado nos bastidores pode ser aquele elemento que falta para melhorar a experiência de atendimento.

O Grupo Volkswagen também atendeu o desejo de seus clientes por um olhar nos bastidores de suas concessionárias. A empresa entendeu que a compra de um carro novo só leva algumas horas e que os proprietários de carros provavelmente passarão muito mais tempo do que isso no departamento de serviço enquanto mantiverem os carros. Como consequência, os clientes querem sentir segurança de que o componente de serviços da compra, prestado nos fundos da concessionária, seja tão agradável quanto o componente de vendas prestado na parte da frente.

A fabricante de automóveis incorporou essa garantia no cenário de sua concessionária ideal. Um dos importantes elementos de design do VW Marketplace foi abrir a área de vendas para a área de serviço. Dessa forma, novos compradores podem ver as áreas de serviço da concessionária, ter uma ideia de onde ficarão durante as visitas de manutenção e ver o produto – os carros novos – sendo preparados para a entrega. A propósito, o processo de vendas foi reprojetado para se beneficiar dessa conexão ininterrupta entre vendas e atendimento. Quando os clientes compram carros, eles são levados em um passeio pela área de serviço e apresentados aos consultores de atendimento da concessionária.

MANUTENÇÃO DO CENÁRIO

Passamos a maior parte deste capítulo descrevendo elementos e princípios do cenário que costumam ser cobertos durante as fases de design e construção. Mas temos mais um tema importante para discutir antes de avançarmos: a manutenção do cenário. Depois de criar o cenário perfeito, tem início o trabalho de mantê-lo a perfeição, que continua enquanto o cenário for utilizado. Manutenção significa mais do que apenas manter o cenário limpo. Também significa protegê-lo de danos e impedir a deterioração pelo uso.

Depois das experiências de campo no palco e nos bastidores, os facilitadores do Institute pedem que os convidados do programa estimem o tamanho do elenco de manutenção do Walt Disney World. As respostas variam muito, mas a resposta correta é sempre uma surpresa. Mais de 55 mil pessoas mantêm o cenário do Walt Disney World. Isso ocorre porque a manutenção é parte integral do papel de cada membro do elenco. Desde Michael Eisner e passando por todas as camadas hierárquicas, você nunca verá um membro do elenco passar sem fazer nada ao ver lixo no chão da propriedade ou ignorar um detalhe físico dos parques que precisa de reparos.

Faz parte da cultura manter o Walt Disney World limpo e o hábito remonta ao próprio Walt. "Quando comecei a trabalhar na Disneylândia", ele contou, "minha esposa costumava dizer: 'Mas por que você quer construir um parque de diversões? Eles são tão sujos'. Eu disse que essa era justamente a questão – o meu parque não seria sujo".[17]

Também há, é claro, uma grande equipe dedicada exclusivamente à manutenção no Walt Disney World. Eles trabalham 24 horas por dia para manter impecáveis os cenários dos parques. As ruas são limpas diariamente; os toaletes, a cada 30 minutos. Há cavalos na Main Street, mas você precisa estar presente na hora para ver qualquer um de seus subprodutos naturais. O elenco fantasiado nunca está muito longe. Técnicos de manutenção estão a postos para se certificar de que todas as atrações operem sem percalços durante o dia. A equipe cresce para as centenas depois que os parques fecham e a manutenção e reparos agendados são realizados.

A manutenção representa uma despesa significativa em qualquer grande organização e deve ser incorporada ao cenário sempre que possível. Quando o jornalista Scott Kirsner visitou os bastidores do Reino Mágico, ele ficou impressionado com a tecnologia empregada para manter o ambiente.

> Com base em dados recebidos de estações meteorológicas, um software da MaxiCom determina quanta água cada uma das 600 zonas da propriedade precisa. Cada uma delas tem até dez canteiros aguados individualmente; quando

---

[17] Ver *Walt Disney:* famous quotes (Disney's Kingdom Editions, 1994), p. 29

A magia do cenário

chega uma mensagem dos jardineiros de que um canteiro de azaleias do Disney-MGM Studios está secando, o horticultor aumenta o volume de água fornecido todas as noites. Quando uma chuva torrencial atinge a propriedade, o sistema da MaxiCom se ajusta aguando menos – cerca de 50 sprinklers automatizados que podem ser ajustados no nível das centenas de polegada são espalhados pela propriedade e conectados à rede. "Toda madrugada à 1h25, fazemos o download dos dados das unidades de controle (UCCs) espalhadas pela propriedade", diz [o administrador de horticultura Scott] Shultz. As UCCs administram os temporizadores que controlam 50 mil sprinklers. A equipe de Shultz também percorre diariamente a propriedade em uma van equipada com um laptop e modem móvel, diagnosticando e solucionando problemas no sistema – uma das estruturas de irrigação de grande escala mais sofisticadas do mundo.[18]

No processo de aguar a paisagem, e por toda a propriedade, o elenco e a tecnologia de manutenção se combinam para criar um foco contínuo e uniforme em manter o cenário em perfeitas condições. Como consequência, o cenário sustenta a melhora a experiência do convidado e presta um atendimento de qualidade.

DICAS PARA O ATENDIMENTO DE QUALIDADE

Defina o seu cenário. O cenário é o ambiente no qual o atendimento é prestado aos clientes, todos os objetos nesse ambiente e os procedimentos utilizados para melhorar a manter o ambiente e os objetos do atendimento.

Conte a sua história por meio do cenário. Sinta a experiência de atendimento da sua organização na pele do cliente. Observe e critique o cenário e alinhe suas mensagens com a história de atendimento que você deseja contar.

Oriente a experiência do cliente com o cenário. Analise os aspectos direcionais do cenário. Certifique-se de que o layout físico da organização (ou site, ou sistema telefônico), o design de interiores e a sinalização mantenham os clientes no caminho do atendimento de qualidade.

Comunique o atendimento de qualidade a todos os cinco sentidos. Os clientes criam impressões da sua empresa utilizando todos os sentidos. Transmita a sua mensagem de atendimento apelando para a visão, audição, olfato, tato e paladar sempre que possível.

Separe o palco dos bastidores. Identifique funções de negócios que não envolvam os clientes de forma que elas não interrompam a prestação do atendimento. Dê aos funcionários um espaço nos bastidores para descansarem e relaxarem.

Mantenha o seu cenário com um esforço uniforme e abrangente. Use o processo de design para incorporar a manutenção ao cenário e recrute todos os funcionários para a iniciativa de manutenção.

---

[18] Ver "Hack the magic", de Scott Kirsner, na edição de março de 1998 da revista *Wired* para uma boa descrição dos sistemas tecnológicos utilizados nas operações do Walt Disney World e para a citação.

Capítulo 5

A magia do processo

A magia do processo

Um garoto em uma garagem. Foi assim que começaram muitas lendas dos negócios contemporâneos. Apple Computer, Amazon.com e Cisco Systems, todas começaram na garagem da casa de seus fundadores. Walt Disney também já foi um garoto em uma garagem.

Em 1920, aos 18 anos, Walt teve o primeiro vislumbre da animação na Kansas City Film Ad Company. Ele desenhava personagens que eram utilizados em filmes publicitários exibidos em cinemas locais. No que viria a se tornar uma marca registrada pessoal, Walt se sentiu limitado pela tecnologia primitiva utilizada no trabalho e forçou a si mesmo, e ao líder da empresa, A. Vern Cauger, a melhorar a qualidade dos anúncios de um minuto da empresa. Ele chegou a convencer o sr. Cauger a lhe emprestar uma câmera de *stop motion*, que ele levou para um "estúdio" que ele e o irmão Roy construíram às pressas na garagem da família.

O resultado do empréstimo foram 30 pés (91 metros) de tirinhas satirizando as péssimas condições do calçamento das ruas de Kansas City. Walt vendeu o filme a 30 centavos por pé à Newman Theater Company. O público gostou tanto da animação de Walt que ele foi contratado para produzir uma por semana. Assim nasceu a série de animações Newman Laugh-O-gram e, logo depois, Walt fundou uma nova empresa para produzi-las, a Laugh-O-grams Film, Inc. Essa empresa não viria a sobreviver por muito tempo, mas Walt tinha se tornado um animador.[1]

Sozinho à noite, trabalhando na garagem, Walt sem dúvida não pensou muito sobre o processo. Nessas primeiras animações, as imagens foram desenhadas, recortadas e colocadas em um plano de fundo em poses cujo propósito era simular movimento, e fotografadas. O filme resultante era grosseiro, com personagens rasos, unidimensionais e, é claro, som e cor ainda estavam a anos de distância. Walt simplesmente decidia um tema e fazia desenhos suficientes para criar o número de pés de filme necessários. Mas, se você pedisse ao

---

[1] Ver *Walt Disney:* an american original, de Bob Thomas (Hyperion, 1994) para um relato completo dos primeiros anos.

jovem animador para articular seus métodos, ele teria descrito processos – o processo mental de contar a história do filme e o físico de fazer o filme. Walt estava utilizando-os para ofertar entretenimento. Nos anos 1930, o papel do processo na criação das animações da Disney já era muito mais explícito. Na rápida expansão que se seguiu ao sucesso do Mickey Mouse, Walt não conseguia mais lembrar cada detalhe de cada animação em produção ou tomar ele mesmo cada decisão. Precisou formalizar uma abordagem para as operações diárias da empresa, de forma que começou a elaborar os processos que produziriam e ofertariam a marca de entretenimento da Disney.

Antes disso, Walt e o artista Ub Iwerks se debruçavam na mesa de uma sala e criavam o roteiro de continuidade e a arte para uma animação. Eles saíam com um trabalho completo e o entregavam para a equipe para ser animado e produzido. Agora as animações eram produzidas utilizando um processo criativo em equipe sem o domínio de nenhum indivíduo. Foi criada uma unidade de produção flexível na qual um diretor supervisionava o projeto como um todo, um estilista criava o tom e a atmosfera, um roteirista contava a história e um artista desenhava as primeiras ilustrações rudimentares. Os personagens entravam em fase de desenvolvimento – suas vozes e corpos eram criados e refinados. Era então produzido um filme em estado bruto, combinando os croquis da história e as trilhas sonoras. No decorrer do trabalho, a equipe, Walt e outras pessoas analisavam, pensavam, argumentavam e contribuíam com novas ideias. E esse era apenas o começo – um volume enorme de trabalho, como o *layout*, a animação, a trilha sonora e as filmagens ainda estava pela frente.

O processo de Disney não domou a animação. Como qualquer empreitada criativa, ela continuou caótica e, de acordo com participantes do processo, sempre dinâmica. "Apesar de tentativas constantes e apelos persistentes, Walt não construiu uma organização no sentido mais estrito da palavra. O que ele construiu foi um grupo frouxamente unificado de pessoas talentosas com habilidades específicas capazes de trabalhar juntas em padrões em constante mudança. Eles faziam isso com o mínimo de comando e o máximo

A magia do processo

de dedicação. O que Walt queria era o maior esforço criativo – não a operação mais eficiente", escreveram Frank Thomas e Ollie Johnston, dois dos Nove Anciões, como eram conhecidos os supervisores de animação da Disney durante aquela era dourada da animação.[2] O curioso é que essa descrição soa exatamente como as estruturas que tantas empresas tentam criar hoje. Walt construíra uma organização flexível ao redor de uma estrutura baseada em processos.

Não é fácil simultaneamente organizar o trabalho e, em lugar de abafar a energia e a criatividade, estimulá-lo. Conseguir fazer isso em um negócio de nicho como a animação era ainda mais incomum. Essa é uma das razões pelas quais o biógrafo Richard Schickel escreveu: "O fato de qualquer jovem estar disposto a tentar entrar em um negócio como esse deve permanecer um tributo permanente à sua obstinação. O fato de Walt Disney, entre todos os homens que entraram na animação, ter conseguido tornar-se um grande magnata (vários conseguiram ganhar algum dinheiro, com o tempo), deve ser uma homenagem às suas excelentes habilidades organizacionais".[3]

Ao projetar a Disneylândia, Walt levou a mesma orientação ao processo que aplicara no estúdio para o mundo físico. Mas com uma importante diferença. Para fazer um filme animado, o processo criava um produto acabado que poderia ser visto vez após vez sem a necessidade de trabalho adicional. Em um parque temático, cada processo precisaria ser repetido continuamente e resultar no mesmo produto a cada vez. (Na verdade, trata-se de uma indústria de processo estranha. Em vez de refinar petróleo ou misturar substâncias químicas, ela produz entretenimento.) Walt sabia que a chave para prestar um atendimento de qualidade em um filme vivo significa projetar um processo livre de defeitos e repeti-lo à perfeição.

Havia uma grande vantagem em trabalhar com processos repetitivos que resultassem em um produto padronizado e Walt percebeu isso imediatamente. Ele contou a um repórter:

---

[2] A citação foi tirada da p. 185 de *The illusion of life*: Disney animation, de Frank Thomas e Ollie Johnston (Hyperion, 1995). O livro contém uma análise detalhada do processo de animação da Disney por dois homens que participaram dele em primeira mão.

[3] A citação foi tirada da p. 102 de *The Disney version*, de Richard Schickel (Ivan R. Dee, 1997).

> O parque significa muito para mim. É algo que nunca estará terminado, algo que eu posso continuar desenvolvendo, continuar ajustando e expandindo. Ele é vivo. Ele será uma coisa viva e vibrante que precisará de mudanças. Quando você conclui uma animação e a passa para o tecnicolor, o trabalho acaba. A *Branca de Neve* é um trabalho acabado para mim. Eu acabei de terminar um filme *live action*, ele foi concluído algumas semanas atrás. Acabou. Não dá mais para mudar. Tem coisas nele que eu não gosto, mas não posso fazer nada a respeito. Eu quero algo vivo, algo que possa crescer. O parque é isso. Eu não apenas posso acrescentar coisas, como até mesmo as árvores continuarão crescendo. A coisa ficará cada vez mais bonita a cada ano. E o parque melhorará à medida que eu descobrir do que o público gosta. Eu não posso fazer isso com um filme; ele está acabado e imutável antes de eu poder descobrir se o público gosta ou não dele.[4]

Walt poderia ajustar em detalhes os processos da Disneylândia como quisesse, e foi o que fez. Ele aplicou essa iniciativa de melhoria contínua a todo o parque. Vestia roupas velhas e um chapéu de palha de lavrador e andava incógnito pelo parque. Dick Nunis, que na época era supervisor na Frontierland, lembra-se de ter sido monitorado por Walt durante uma dessas visitas. Walt tinha visitado a atração Jungle Boat e cronometrara o passeio. O operador do barco tinha apressado o passeio, que terminara em quatro minutos e meio em vez dos sete minutos que deveria ter levado.

"Você gostaria de assistir um filme e descobrir que o cinema omitiu um rolo do meio do filme?", indagou Walt. "Você tem ideia do quanto custam esses hipopótamos? Eu quero que as pessoas os vejam e não façam um passeio apressado porque um sujeito está entediado com o seu trabalho."

Dick e Walt fizeram o passeio juntos e falaram sobre a duração adequada. Os pilotos do barco passaram a usar cronômetros para manter a velocidade perfeita. Semanas se passaram até que um dia Walt voltou. Ele fez o passeio no Jungle Boat quatro vezes com

---

[4] A citação de Walt Disney foi tirada da p. 244 de *Walt Disney*, de Bob Thomas (Hyperion, 1994).

pilotos diferentes. No final, ele não disse nada, só deu a Dick um "bom show!" e seguiu seu caminho.[5]

A melhoria contínua ainda é parte importante da cultura da Disney. Se algo pode ser melhorado, isso é feito. A Disneyland Paris foi originalmente chamada de Euro Disney, mas, para os europeus, o público-alvo, a palavra "Euro" denotava moeda e comércio. Ela não criava a imagem pretendida na mente dos convidados e, dessa forma, foi melhorada.

Quando a rede de lojas Disney Store começou a decolar no final dos anos 1980, Michael Eisner passou a visitar lojas recém-inauguradas nos fins de semana, à moda de Walt. Ele estudava os detalhes, retirava produtos abaixo dos padrões e analisava a iluminação, a apresentação e a experiência de atendimento do ponto de vista do convidado. Frank G. Wells, finado presidente e COO da Disney, insistia que as lojas adotassem padrões de atendimento e oferecessem aos funcionários um treinamento nos moldes do Traditions. Os dois executivos sabiam que construir uma rede de sucesso demandava um processo padronizado que pudesse ser transplantado a cada nova loja e que estivesse de acordo com o nome Disney. "Eu aprendi muito tempo atrás que, se o chefe se importa, então todos se importam", declarou Eisner. As iniciativas de desenvolvimento de processos e melhoria contínua se pagaram. Em 1991, a cadeia tinha 125 lojas que geravam um faturamento de mais de US$ 300 milhões.[6]

PROCESSO E COMBUSTÃO

Os processos, no sentido mais amplo, são uma série de ações, mudanças ou funções combinadas para produzir um resultado. Eles combinam recursos humanos (elenco) e físicos (cenário) de várias maneiras para produzir diferentes resultados. Um carro é produzido utilizando um processo que combina peças e mão de obra em

---

[5] *Ibid.*, p. 290.
[6] Ver p. 240-248 de *Work in progress*, de Michael Eisner (Hyperion, 1999) para uma descrição mais detalhada da fundação da rede de varejo The Disney Store. A citação foi tirada da p. 244.

O jeito Disney de encantar os clientes

sequências específicas em uma linha de montagem. Uma apendicectomia é realizada utilizando um processo que combina a equipe médica e uma sala de cirurgia em uma sequência de ações. Todas as organizações podem ser vistas como uma coletânea de processos.

Um processo produz algum resultado, como um produto ou atendimento. Na verdade, mais de três quartos da prestação do atendimento na maioria dos setores e instituições são baseados em processos. E, como a essência do atendimento de qualidade é a prestação, é crítico dedicar atenção especial aos processos.

No ciclo de atendimento de qualidade, os processos são as políticas, as tarefas e os procedimentos utilizados para prestar o atendimento. Agora estamos falando do motor a vapor do trem do ciclo de atendimento de qualidade. Se esse motor não funcionar, não importa o quão amistoso for o maquinista ou o quão atrativos os vagões, o trem não sairá do lugar e os passageiros não pagarão as passagens. Os processos movimentam o trem do atendimento de qualidade.

Podemos levar a analogia ferroviária um passo além e falar do funcionamento do motor do trem. Os motores são acionados pela combustão. Um motor a diesel ou gasolina funciona por combustão interna. O combustível é queimado dentro do motor; ele explode e move os pistões. Em um motor a vapor, a combustão ocorre fora do motor em uma caldeira que cria vapor pressurizado que, por sua vez, movimenta os pistões. Os processos de atendimento são mais parecidos com um motor a vapor. A combustão é produzida externamente... pelos convidados. No que se refere ao atendimento de qualidade, a combustão produzida pelo convidado representa o melhor tipo de combustão. Quando os convidados movimentam o motor, sabemos que o processo está adequadamente voltado às necessidades deles.

Quando os processos de atendimento funcionam sem percalços, os principais pontos de combustão são controlados. Os convidados ficam satisfeitos e o motor do atendimento de qualidade funciona sem engasgar. No entanto, quando um processo de atendimento falha, o ponto de combustão está fora de controle. Os convidados se irritam e, a menos que seus problemas sejam resolvidos, os pontos de combustão podem se transformar facilmente em pontos de explosão. A identificação e o controle de pontos de combustão constituem uma parte importante da prestação do atendimento por meio do processo.

A melhor maneira de identificar pontos-chave de combustão é estudar os seus convidados. Do que eles reclamam? Onde se perdem durante a experiência do atendimento? Quais são os problemas comuns que eles enfrentam ao transitar na sua organização? As respostas a essas questões são as *expressões de combustão*. As expressões de combustão são importantes indicativos para as questões de processo com os quais você precisa lidar para prestar um atendimento mágico.

Vamos analisar algumas expressões de combustão comuns:

- "**Está demorando demais!**" Qualquer pessoa que já tenha esperado na fila no correio ou no supermercado conhece essa lamentação. O que ela indica? Ela nos diz que temos um problema com o fluxo da experiência de atendimento que precisa ser solucionado.

- "**Ninguém sabe me responder!**" Todos já encontramos convidados que foram jogados de um lugar ao outro em busca de uma resposta para uma questão. Quando você ouve isso, significa que o processo de comunicação entre elenco e convidado está com problemas.

- "**A minha situação é diferente!**" Criar um processo padronizado é uma excelente maneira de atender o convidado típico, mas e o convidado que não se encaixa no perfil padrão? Quando você ouve isso, significa que o processo em si não é capaz de se adaptar a determinados convidados.

- "**Estou preso em um dilema!**" Por fim, os processos não são infalíveis e algumas vezes eles simplesmente não funcionam como planejado. Quando você ouve isso, significa que o processo de atendimento precisa de reparos.

Essas expressões de combustão não são incomuns no Walt Disney World. Você provavelmente também já as ouviu dos seus clientes. Isso acontece porque esses quatro exemplos dizem respeito a problemas universais do processo de atendimento. O fluxo de clientes, a comunicação entre funcionários e clientes, com necessidades especiais e design deficiente de processo são pontos de combustão típicos em atendimento e dedicaremos o restante deste capítulo a analisar em mais detalhes como impedir que eles se transformem em pontos de explosão.

FLUXO DE CONVIDADOS

"Estas filas são longas demais!" Os convidados do Walt Disney World odeiam filas longas. Esse é o problema mais criticado em parques temáticos. No dia da inauguração da Disneylândia, um dia que Walt Disney posteriormente chamou de "Domingo Negro", o fluxo de convidados foi um fiasco. Bilhetes falsificados transformaram o que deveria ser um evento só para convidados na aglomeração de uma multidão enquanto um volume estimado em 33 mil convidados lotava o parque. Todas as ruas em um raio de 15 quilômetros da entrada ficaram congestionadas. Uma das primeiras questões endereçadas por Walt depois do Domingo Negro foi como administrar melhor aquelas filas.[7]

"Longas filas" representam um problema do processo de atendimento que prejudica fluxo da experiência do convidado. Se você opera um site, o fluxo do atendimento pode ser impedido por páginas que levam tempo demais para carregar ou pela capacidade do site de lidar com picos de atividade dos clientes. Se você opera uma empresa de manufatura, o fluxo pode ser bloqueado por determinada tarefa de montagem ou pela escassez de uma peça ou uma máquina ineficiente. Não importa qual seja o atendimento ou produto específico sendo entregue, o "tempo de espera" é o inimigo que todos combatemos.

---

[7] Ver p. 272-273 de *Walt Disney*, de Bob Thoma (Hyperion, 1994) para uma descrição mais completa da inauguração da Disneylândia.

A magia do processo

Soluções para o eterno problema do tempo de espera tendem a ser incluídos em três categorias distintas. Para minimizar o tempo de espera, podemos não só otimizar a operação do produto ou atendimento, mas também o fluxo dos convidados. No Walt Disney World, todas as três soluções para o processo de atendimento foram implementadas.

- *Otimizar a operação do produto e dos serviços* significa manipular a utilização dos seus recursos para minimizar a espera. Pense na possibilidade de dar aos convidados acesso às suas instalações antes ou depois do habitual. Você também pode reduzir o tempo de espera estendendo o acesso de forma seletiva, como disponibilizar alguns serviços antes de outros ou abrir áreas-chave mais cedo em relação ao restante da organização. Outra ideia é proporcionar acesso diferenciado aos melhores convidados. Dessa forma, você pode ao mesmo tempo recompensar a fidelidade e reduzir os tempos de espera.

Um programa projetado para otimizar as operações no Walt Disney World é chamado de Surprise Mornings. Em dias selecionados, o Reino Mágico, o Epcot e o Disney-MGM Studios abrem uma hora antes para os convidados hospedados nos resorts da propriedade. Esse grupo de clientes valiosos tem a chance de visitar os parques quando estão relativamente vazios e o programa também ajuda a reduzir o número de convidados visitando os parques nos horários de pico. As E-Ride Nights representam outra solução para o fluxo de convidados. Esse programa noturno cobra um valor simbólico para acesso às nove atrações mais populares. Mais uma vez, acesso a brinquedos populares depois do horário normal reduz a demanda no horário de pico e o preço reduzido dos bilhetes ajuda a controlar o custo da operação estendida. O programa Rope Drop é um terceiro exemplo da otimização da operação. No caso, serviços selecionados, áreas de alimentação e lojas de varejo são abertos antes do restante do parque. Os convidados podem entrar antes e comer, fazer compras, se preparar para o dia e para os brinquedos preferidos assim que são abertos.

- *Otimizar o fluxo de convidados* significa permitir que os convidados administrem sozinhos seu movimento pela experiência de atendimento. Essas técnicas são projetadas para dar aos convidados a dádiva do tempo. Elas dão aos convidados escolhas antecipadas sobre como desfrutar o tempo, antes de se verem presos esperando. Elas também incluem instruir os convidados sobre os benefícios de determinadas escolhas e monitorar continuamente o fluxo de forma que você possa lhes oferecer informações precisas.

No Walt Disney World, os convidados são informados das opções antes de chegar à entrada dos parques. Os best-sellers, guias oficiais da Birnbaum para os parques, oferecem sugestões para conseguir o máximo das férias na Disney. Os panfletos e guias oferecidos nos parques também incluem várias dicas para que o convidado aproveite a visita ao máximo. Um recurso disponibilizado em um ponto central dos parques do Walt Disney World é o Tip Board, ou quadro de dicas. Ideia desenvolvida pelo elenco, o Tip Board relaciona as principais atrações do parque e informa uma estimativa do tempo de espera em tempo real em cada uma delas. Atualizados regularmente, permitem que os convidados planejem suas atividades nos parques e minimizem o tempo gasto nas filas. (Os tempos de espera são ligeiramente superestimados. Uma espera menor do que o esperado é preferível a uma mais longa.) Os *greeters*, ou saudadores, também exercem um importante papel ajudando os convidados a administrar suas visitas. Esses membros do elenco dedicam-se a fornecer informações e orientar os convidados sobre as diversas opções de entretenimento nos parques.

- Por fim, *otimizar a experiência na fila* significa administrar o tempo de espera de outra forma inevitável em um processo de atendimento para maximiar a experiência do convidado e minimizar o desconforto. É possível realizar essa façanha testando produtos e serviços para se certificar de que os tempos de espera sejam minimizados antes de oferecê-los ao público. Também é importante

A magia do processo

informar claramente os tempos de espera no início do processo e, como mencionamos acima, fazer o possível para se manter abaixo do tempo máximo estimado. Você pode instruir e preparar os convidados para transitar com eficiência por um processo e, durante as esperas, usar a oportunidade para instruir, informar e entreter. Você também pode mensurar esse tempo e se certificar de que os membros do elenco saibam como isso afeta os convidados.

No Walt Disney World, os Cast Preview Days apresentam a equipe a novas atrações e ajudam a revelar falhas de processo antes da chegada dos convidados. Sneak Peeks são testes-piloto nos quais um número limitado de convidados pode experimentar novas atrações, o que refina ainda mais o processo antes da grande inauguração. De forma similar aos Tip Boards dos parques, cada atração informa o tempo de espera para que os convidados tenham liberdade para decidir entrar ou não na fila. E, por fim, nos certificamos de incorporar o tema e o entretenimento às próprias filas. Os membros do elenco são treinados para entreter e divertir os convidados que esperam na fila e o cenário é elaborado para fazer que as esperas pareçam ser mais curtas. Por exemplo, enquanto os convidados aguardam para entrar no show MuppetVision 3-D de Jim Henson no Disney-MGM Studios, eles são entretidos por um pré-show de 12 minutos. Personagens dos Muppets se movimentam por uma série de televisores dando dicas sobre o espetáculo que está por vir.

FATORES QUE AFETAM AS PERCEPÇÕES DOS CONVIDADOS SOBRE O TEMPO DE ESPERA

Um cliente do Disney Institute, a University of Chicago Hospitals (UCH), conduziu um levantamento com os pacientes sobre as expectativas referentes aos tempos de espera. Apesar de algum tempo de espera ser inevitável, a maioria dos pacientes abordados no estudo traçou menos comentários sobre o tempo e mais a respeito de como o hospital lidou com a espera. Três dimensões importantes relativas aos cuidados com os pacientes são:

- **Acesso:** Os pacientes querem acesso ao atendimento e ficam frustrados com correio de voz, dificuldades de agendamento e restrições.
- **Respeito:** Os pacientes exprimem uma grande necessidade de serem reconhecidos e tratados com dignidade.
- **Comunicação de informações:** Os pacientes expressam temor de não estarem sendo completamente informados.

O jeito Disney de encantar os clientes

Isso tudo não passa de uma amostra das táticas empregadas para combater as temidas filas no Walt Disney World. A batalha contra o tempo de espera é contínua, apesar de a mais recente iniciativa, o serviço FASTPASS da Disney, poder ter finalmente vencido a guerra. Lançado em 1999, o FASTPASS é um inovador sistema computadorizado de reservas. Quando os convidados chegam a uma atração por meio dele, podem escolher entre a espera convencional na fila ou passar seu bilhete de entrada em uma catraca, o que, por sua vez, gera um bilhete válido por uma hora. Eles então voltam na hora especificada e passam por uma fila curta e exclusiva que leva diretamente ao pré-show ou à área de embarque da atração.

O FASTPASS elimina totalmente as tão odiadas filas. Os convidados podem visitar áreas mais vazias, fazer compras ou parar para comer enquanto esperam para entrar na atração, em vez de ficar esperando na fila. Atualmente, o sistema está sendo utilizado em 19 das atrações mais populares nos quatro parques do Walt Disney World e é um sucesso entre os convidados. O processo está sendo refinado para ser implementado mais amplamente nos parques.

A Rich-SeaPak Corporation, sediada em St. Simon's Island, Geórgia, é um cliente do Disney Institute que está empenhado no trabalho de reduzir o tempo de espera no seu processo de administração de pedidos. Subsidiária da Rich Products Corporation, maior produtora familiar de alimentos congelados dos Estados Unidos, a Rich-SeaPak é uma das principais produtoras de frutos do mar congelados e produtos para aperitivos, com mais de mil associados em instalações de produção na Geórgia e no Texas. A empresa tem uma ampla base de clientes que inclui supermercados, atacadistas, redes de restaurantes e clientes da área de alimentação e processa entre 50 mil e 75 mil pedidos anualmente.

Ao longo dos anos, contudo, o processo de pedidos da SeaPak começou a ficar pesado. Os pedidos dos clientes passavam por vários sistemas de informações desenvolvidos em épocas diferentes. Os sistemas obsoletos foram integrados, mas eram incapazes de criar um fluxo contínuo e otimizado. Os funcionários precisavam acessar vários sistemas para localizar os pedidos e havia pontos no processo em que os pedidos ficavam parados. A empresa sabia que uma reformulação poderia melhorar o atendimento e aumentar os lucros.

Uma equipe multifuncional de 25 associados da SeaPak, que visitou o Disney Institute para estudar atendimento de qualidade e criatividade, repensou como os pedidos são administrados do contato inicial do cliente até a entrega, o faturamento e o pagamento. Eles criaram um sistema de informação integrado e menos complexo capaz de eliminar as pausas processando os pedidos em um fluxo contínuo, proporcionando acesso instantâneo dos clientes às informações do pedido em qualquer ponto do processo e eliminando erros na emissão de faturas. O novo processo de pedidos reduzirá o fluxo de pedidos da SeaPak em alguns dias. Ele também soluciona um problema comum entre empresas de produtos alimentícios, ao monitorar variações no estoque e preços em tempo real, eliminando erros de faturamento com a meta de produzir faturas perfeitas a cada pedido.

Criar o processo perfeito de recepção de novos alunos potenciais era a meta de uma equipe de 15 membros da Lees-McRae College da Carolina do Norte, uma instituição particular de ensino com 600 alunos conhecida por seu programa de artes cênicas. Localizada em Banner Elk, uma cidade do noroeste do estado incrustada nos montes Apalaches, a centenária Lees-McRae é a faculdade de maior destaque na bacia do rio Mississippi. Depois de participar do treinamento do Disney Institute, a instituição decidiu que os três grandes programas de recepção que conduz todos os anos para alunos potenciais e suas famílias precisavam ser repensados. "Não havia nada de errado com a forma como vínhamos conduzindo as nossas sessões de recepção", explicou o vice-presidente de matrículas e desenvolvimento estudantil Alan Coheley. "Elas eram agradáveis e úteis, mas não proporcionavam um 'uau', uma experiência memorável para os nossos convidados!"

Para incorporar alguns "uaus" ao programa, a equipe de recepção decidiu expandir sua visão do processo, avaliando toda a experiência do convidado, desde a chegada para a visita à faculdade até a conclusão do programa. Depois eles utilizaram *storyboards*, uma técnica que discutiremos no próximo capítulo, para reformular o programa em três fases.

Em primeiro lugar, a equipe refinou a fase de preparação para a visita, reprojetando elementos como orientações para chegar ao campus, descrições da área e o programa que os convidados recebiam pelo correio. Em segundo lugar, eles melhoraram a fase de chegada e começaram a receber os convidados antes mesmo de eles pisarem no campus pela utilização de técnicas como enviar um representante da faculdade para receber e cumprimentar as famílias quando elas chegavam ao hotel. E, por fim, a equipe reformulou toda a parte da experiência no campus dando um clima de parque de diversões às recepções. Agora, quando os convidados passam de um local ao outro ao redor do campus, eles encontram novas atrações em cada ponto. Essas atrações ao mesmo tempo informam e entretêm os convidados. Até mesmo os cardápios do programa foram adaptado para incluir o tipo de comida que se encontraria em um parque de diversões. O novo processo de recepção dá à instituição mais controle sobre a experiência do convidado, incorpora diversão ao processo de escolha de uma faculdade para os futuros alunos e, também importante, garante que, ao chegar a hora de fazer a escolha, o Lees-McRae ainda estará na mente deles.

COMUNICAÇÃO ENTRE ELENCO E CONVIDADO

"Quando começa o desfile das três da tarde?" Essa é uma pergunta comum dos convidados. As pessoas a fazem com tanta frequência que a Disney University a usa como exemplo no programa Traditions e ela também é utilizada no Disney Institute. Os convidados que fazem essa pergunta não estão em busca de uma resposta pronta. O que os convidados realmente querem saber é a que horas o desfile chegará a determinado local, onde é o melhor lugar para vê-lo ou qual é o percurso. Na verdade, as únicas respostas erradas para essa pergunta são "três da tarde" ou alguma observação jocosa.

Responder as perguntas do convidado é uma tarefa regular em todas as organizações. O nível de eficácia e eficiência com o qual são respondidas exerce um papel importante na forma como os convidados percebem a experiência do atendimento. Existe alguma pessoa no planeta que gosta de ser jogada de um lugar ao outro em busca de uma resposta para o que deveria ser uma pergunta simples? O único fator que varia é exatamente quanto tempo as pessoas suportarão antes de perderem completamente a paciência. Quando isso acontece, um ponto de combustão se transforma em um ponto de explosão.

Em uma propriedade do tamanho do Walt Disney World e com uma lista de convidados anual de milhões de pessoas, a comunicação eficaz com o convidado é um elemento crítico da prestação do atendimento e grande parte dessa comunicação flui diretamente do elenco aos convidados. As dicas de apresentação da Disney requerem que os membros do elenco busquem ter contato com os convidados, ouçam e respondam perguntas e ofereçam assistência. Mas não basta simplesmente mandar o elenco ajuda-los, eles devem ter as informações necessárias para realizar essa tarefa. Dessa forma, há uma ampla variedade de processos de atendimento voltados a preparar o elenco para dar respostas ágeis aos convidados. Esses processos são elaborados para proporcionar as informações certas da maneira certa no momento certo.

Algumas das técnicas visam a divulgar informações por toda a propriedade. Elas incluem informações que todos os membros do elenco devem saber sobre o Walt Disney World. Um jornal semanal, o *Eyes & Ears*, é uma forma com a qual as informações são comunicadas por toda a propriedade. Ele tem uma circulação maior do que a de muitos jornais pequenos: 60 mil cópias são distribuídas a cada semana. Cartões de bolso com fatos rápidos são impressos e entregues de forma que os membros do elenco tenham na ponta dos dedos informações sobre novas atrações e eventos especiais. Nos últimos anos, a intranet corporativa também tem sido utilizada. Michael Eisner envia periodicamente e-mails aos membros do elenco.

Informar 55 mil membros sobre todas as atrações e recursos da propriedade é um processo importante. Quando o All-Star Movies Resort da Disney, voltado a convidados muito exigentes, estava se preparando para ser aberto ao público, o resort organizou uma sessão de apresentação e convidou todos os membros do elenco do Walt Disney World, suas famílias e amigos. Além de tira-gostos, bebidas e apresentações de personagens, a equipe do resort se certificou de que seus colegas do elenco aprendessem sobre o novo hotel criando um concurso. Cada convidado recebeu um mapa com um local carimbado ao longo do percurso da visita. Eles entregavam o mapa no final como fichas para o sorteio de prêmios.

Técnicas que envolvem observar um colega mais experiente no trabalho, também conhecidas como *job shadowing*, podem informar um membro do elenco sobre outras áreas da propriedade. Quando a equipe de bufê e serviços de convenções do Coronado Sprint Resort da Disney quis divulgar o hotel, eles planejaram um Convention Mousenap, uma convenção durante a qual membros do elenco de alto desempenho de todo o Walt Disney World eram "sequestrados" e passavam um dia aprendendo sobre o que o resort tinha a oferecer. Exposições de trainees também são realizadas periodicamente e dão aos membros do elenco uma chance de mostrar suas melhores práticas para toda a organização. E a Disney tem um arquivo central de informações no Walt Disney World Library and Research Center, a biblioteca e centro de pesquisa que inclui mais de 3 mil livros relacionados à Disney e uma coleção de clippings, comunicados à imprensa, dados estatísticos e outras publicações para uso exclusivo do elenco.

Também há técnicas elaboradas para transmitir informações específicas aos membros do elenco que se apresentam em cada área dos nossos parques e resorts. Elas ajudam a evitar a sobrecarga de informações, oferecendo informações detalhadas aos membros do elenco de cada local específico, mas não para o elenco em geral.

Algumas das técnicas específicas aos locais são simplesmente versões reduzidas das técnicas aplicadas na empresa como um todo. Os mil membros do elenco do serviço de ônibus recebem um jornal quinzenal, o *Bus Bulletin*. E o elenco das lojas de varejo recebe Merchantainment Cue Cards, uma série de cartões de colecionador similares aos cartões de fatos rápidos, que apresentam um personagem da Disney de um lado e uma curiosidade sobre o personagem além de políticas e procedimentos do outro.

Outras técnicas de comunicação específicas ao local são elaboradas para culturas de apresentação distintas. Por exemplo, os membros do elenco recebem informações atualizadas participando de reuniões pré-turno que são conhecidas na propriedade como *"homerooms"*, ou salas de estudo. Ao perceber que os membros do elenco que começavam o trabalho entre turnos algumas vezes deixavam de receber informações importantes, o elenco da atração The Land Pavilion do Epcot levou o conceito do *homeroom* um passo adiante. Eles passaram a filmar a reunião diária e criaram uma área nos bastidores na qual todos os funcionários pudessem assisti-la antes de se apresentarem.

Por falar em áreas de bastidores, é quase impossível passar por qualquer uma delas sem ver o onipresente quadro de avisos. Os Backstage Communication Boards, quadros de comunicação dos bastidores, divulgam um grande volume de informações sobre mudanças na política e em procedimentos, melhorias recentes, contagens previstas de convidados e apresentação geral do negócio. De forma similar, quadros eletrônicos para notícias de última hora, os Electronic Message Display Boards, foram posicionados para que os membros do elenco leiam mensagens antes de entrar no palco.

Poucos dos processos da Disney para melhorar a comunicação entre elenco e convidado são complexos. E não por coincidência. O importante não é a alta tecnologia dos métodos de comunicação, mas a eficácia e a profundidade com que a equipe é preparada para ajudar os clientes. Na verdade, quanto menos tempo e dinheiro forem gastos em comunicação melhor – afinal, ela representa um custo administrativo. Em vez disso, concentre-se em proporcionar um conteúdo crítico e apresentações memoráveis da forma mais simples possível.

Naturalmente, algumas vezes o método mais simples de comunicação também é uma solução de alta tecnologia. Vejamos o exemplo da Crown Castle International Corporation (CCIC), sediada em Houston, Texas. Desde a sua fundação em 1994, a CCIC tem lutado pelo primeiro lugar na indústria de comunicações sem fio com uma série agressiva de aquisições. Em junho de 2000, essa cliente do Disney Institute já tinha a propriedade e concessão de mais de 11 mil torres sem fio e atingia 68 dos cem maiores mercados de comunicações sem fio dos Estados Unidos, 95% da população do Reino Unido e 92% da população da Austrália. Maior proprietária independente do mundo de infraestrutura compartilhada de comunicações sem fio, a CCIC tem contratos de concessão de infraestrutura com operadoras de serviços telefônicos, emissoras de televisão e rádio e outros clientes que precisam de redes sem fio.

À medida que crescia, a CCIC expandiu sua visão para muito além do aluguel das torres a serviços de sistemas sem fio prontos para o uso que se tornaram um referencial de excelência no setor. Os clientes da CCIC podem escolher fechar um contrato para uma rede completa ou para qualquer parte dela. Essa amplitude de serviços, a natureza internacional do negócio e o rápido acréscimo de ativos adquiridos resultaram em um problema singular de comunicação entre elenco e convidado. A CCIC precisava ajudar seu pessoal técnico a prestar de maneira uniforme e confiável toda a variedade de complexos serviços independente de sua localização.

Depois de descobrir que todos os seus clientes tinham uma definição diferente do que significava serviço pronto para o uso, a CCIC passou a mapear cada detalhe de cada produto oferecido e serviço prestado. Basicamente, eles criaram módulos de processo que seus engenheiros poderiam combinar para criar soluções personalizadas para cada cliente.

"Pegando todos os processos necessários e segmentando-os em áreas e passos definíveis, formalizamos a nossa abordagem à prestação de serviços por toda a empresa", explica o COO John Kelly. Os módulos de processo orientam os funcionários pelo design e implementação do pacote de serviços e asseguram alta qualidade e atendimento rápido. E o LiveLink, um componente da intranet corporativa da CCIC, disponibiliza todo esse conhecimento diretamente aos seus engenheiros. As informações das quais o elenco do CCIC precisa para atender seus clientes são entregues onde e quando eles precisam delas.

ATENÇÃO ESPECIAL NO ATENDIMENTO

Você já se perdeu em um sistema de atendimento telefônico que oferece uma longa litania de opções que não se ajustam à sua necessidade específica e não oferece instruções para falar com uma pessoa? Como você agiu? Você pode ter escolhido aleatoriamente uma opção ou apertado às cegas alguma tecla esperando ser transferido a um ser humano ou pode ter simplesmente desligado. Como se sentiu com essa experiência de atendimento? Quando se vê preso em um sistema telefônico impassível, você está vivenciando um processo de atendimento que simplesmente não funciona para você. Ele pode funcionar para a maioria das pessoas que o utilizam, mas isso não é um grande consolo para aquelas que não o utilizam.

No Capítulo 2, apresentamos a ideia de que todo convidado deve ser tratado como um VIP. Isto é, uma pessoa muito importante e muito individual. Reconhecer e incorporar as necessidades e desejos individuais dos convidados é uma das maneiras pelas quais o Walt Disney World atinge sua segunda prioridade de atendimento, o padrão da cortesia. Visando atingir essa meta, há uma série de processos voltados aos convidados cujas necessidades não podem ser satisfeitas pelos já existentes, conhecida como processos de atenção especial no atendimento.

Há dois ingredientes-chave na criação de processos eficazes de atenção especial no atendimento. Em primeiro lugar, deve haver recursos apropriados para que a experiência do convidado seja boa e, em segundo lugar, a disponibilidade desses recursos deve ser informada ao elenco e aos convidados. Vejamos com mais detalhes como o Walt Disney World estende a atenção especial no atendimento a três grupos de convidados que nem sempre se encaixam no perfil padrão: visitantes estrangeiros, crianças pequenas e convidados portadores de deficiências.

Convidados estrangeiros

As organizações globais dos dias de hoje muitas vezes atendem uma base de clientes extraordinariamente diversificada. No Walt Disney World, aproximadamente 25% dos convidados moram fora dos Estados Unidos e, apesar de todos os convidados irem ao Walt Disney World para se divertir, os convidados estrangeiros trazem consigo uma série de expectativas, comportamentos e necessidades diferentes. Por exemplo, convidados não falantes do inglês terão dificuldades para ler as placas, sem mencionar entender os membros do elenco e outros convidados.

Se você visitar o Walt Disney World durante o verão, verá com frequência grandes grupos de crianças brasileiras, inseparáveis e usando camisetas de cores vibrantes. Os brasileiros tendem a não querer gelo nas bebidas e, como a taxa de serviço normalmente é incluída nas contas no Brasil, também tendem a não dar gorjetas. No Brasil, as pessoas gostam de viajar em grandes grupos e ficar juntas, muitas vezes falando e cantando em voz alta. Como você pode imaginar, quando um grupo de crianças felizes e ruidosas cantando em português se apinha em uma fila, pode ser uma experiência desconcertante para outros convidados e membros do elenco culturalmente predispostos a querer mais espaço pessoal.

Para atender melhor os convidados brasileiros, membros do elenco falantes do português estão a postos para ajudar nas visitas e atuar como tradutores. Há panfletos e guias em português para esse público. Alguns aprendem sobre a cultura e comportamento dos brasileiros. E, por fim, a Disney trabalha com agências de turismo brasileiras para maximizar as experiências dos convidados e romper barreiras culturais. A atenção especial no atendimento focado nos convidados brasileiros mais do que pagou o investimento. Atualmente, eles são o segundo grupo de visitantes estrangeiros mais frequente da Disney.

Crianças pequenas

Apesar de crianças de todas as idades adorarem o Walt Disney World, os parques nem sempre são projetados para se adequar às necessidades dos convidados menores. Algumas atrações são eletrizantes demais para crianças pequenas; outras apresentam conteúdo pouco interessante para elas. Os convidados com crianças pequenas também têm preocupações e necessidades diferentes dos convidados adultos e crianças maiores. Perceber essas preocupações levou à criação de processos de atendimento do ponto de vista de uma criança.

Por exemplo, o que seria mais decepcionante para uma criança do que esperar na fila no Big Thunder Mountain com a família para descobrir que não é alta o suficiente para entrar na montanha-russa? E o que os pais fazem quando chega a vez deles? Eles devem deixar a criança sozinha ou esperar duas vezes na fila para que o pai e a mãe possam fazer o passeio? Existe um processo para solucionar esse dilema. Um dos pais pode ficar com a criança enquanto o outro faz o passeio. Ao final do passeio, o pai que ficou esperando pode embarcar imediatamente. E quanto à criança pequena demais para andar na montanha-russa? Os membros do elenco dão certificados especiais que lhes dão o direito de embarcar no brinquedo, sem aguardar na fila, assim que ela for alta suficiente.

Muitas vezes, crianças pequenas não têm muito interesse no World Showcase do Epcot, de forma que para elas foi criado o Kidcot. Este inclui uma atividade em cada um dos pavilhões nacionais criada especialmente para crianças menores. Cada uma também ganha um livreto de descobertas para preencher à medida que passa de um país ao outro. De forma similar, no Marketplace do Downtown Disney, o tédio que quase toda criança pequena sente quando os adultos fazem compras é aliviado com um álbum de figurinhas adesivas que elas podem colecionar enquanto passam de uma loja à outra.

Mais uma vez, os processos de atenção especial no atendimento elaborados especificamente para convidados que não se encaixam no perfil padrão contribui para uma experiência melhor para os convidados com necessidades especiais e seus acompanhantes.

Convidados portadores de deficiências

Toda organização atende clientes portadores de deficiências e, nos dias de hoje, atender suas necessidades especiais não é apenas uma responsabilidade moral, como também uma responsabilidade legal. Vários princípios básicos se aplicam ao projetar processos de atenção especial no atendimento para convidados com deficiências:

- Sempre que possível, dê aos convidados com necessidades especiais acesso normal à sua organização. Por exemplo, no Walt Disney World, tudo é feito para possibilitar a chegada pela entrada principal das atrações. Dessa forma, os convidados podem ficar com seus acompanhantes e apreciar a propriedade como todo mundo.

- Como nem todas as deficiências são evidentes, encontre maneiras de permitir que os convidados informem suas necessidades especiais sem forçá-los a explicá-las repetidamente. No Walt Disney World, há três tipos diferentes de passes de assistência especial que os convidados podem levar consigo para comunicar suas necessidades aos membros do elenco.

- Comunique os recursos disponíveis aos convidados portadores de deficiência no nível mais amplo possível. Todos os membros do elenco recebem treinamento básico e orientação para ajudar esses convidados no programa Traditions. Além disso, a Disney University oferece treinamento especializado aos gerentes e membros-chave do elenco que têm altos níveis de contato com esse público.

- Por fim, informe os convidados sobre os recursos disponíveis. Por exemplo, o Walt Disney World oferece um livreto especial detalhando os recursos disponíveis e proporciona assistência individual nos pontos de atendimento ao cliente.

Há uma série de recursos disponíveis por todo o Walt Disney World para convidados com deficiências. Entre eles, há excursões em áudio para deficientes visuais. Também há amplificadores de áudio sem fio, apresentações em língua dos sinais e legendas para pessoas com limitações auditivas. Pacotes de assistência ao convidado contendo roteiros, lanternas, caneta e papel são oferecidos em muitos shows e atrações. Todos esses recursos visam a garantir que os convidados com necessidades especiais tenham o melhor espetáculo.

Todas as organizações têm clientes com necessidades que não se incluem em seus processos padrão. Quando o East Jefferson General Hospital, outro cliente do Disney Institute, analisou sua base de pacientes, eles perceberam que os daqueles da oncologia tinham necessidades e desejos muito diferentes dos pacientes da maternidade. Os pacientes da oncologia queriam áreas de espera privativas e tranquilas, onde pudessem se encontrar com os familiares e evitar o público em geral e ter de repetidamente dar explicações sobre suas doenças. Já os da maternidade, por outro lado, queriam festejar a chegada dos recém-nascidos com os amigos e a família. Diante dessa constatação, o East Jefferson criou diferentes processos e cenários para cada grupo de pacientes. O hospital proporciona paz, tranquilidade e privacidade para os pacientes da oncologia e uma atmosfera festiva com espaço extra para os visitantes dos pacientes da maternidade.

Antes de prosseguirmos, pare um pouco para identificar os seus clientes que possam precisar de atenção especial no atendimento. Como você pode melhorar a experiência do atendimento para eles?

O PROCESSO DE ATENDIMENTO DEPURADO

No início deste capítulo, descrevemos o hábito da Disney de melhorar continuamente os produtos e serviços oferecidos aos convidados. A aplicação da melhoria contínua aos processos de atendimento é conhecida como depuração. Todo processo de atendimento precisa ser depurado para funcionar de acordo com os interesses dos convidados.

A depuração pode soar contraditória em relação à máxima "acertar de primeira", mas a realidade dos negócios e da vida é que é relativamente raro conseguir fazer alguma coisa com perfeição desde o começo. Em primeiro lugar, apesar de buscarmos criar organizações impecáveis, lidamos com sistemas vivos que nunca são completamente previsíveis. E, em segundo lugar, mesmo se pudéssemos criar organizações perfeitas, essa perfeição seria mantida por pouco tempo. Novas tecnologias e técnicas logo surgem permitindo que as aprimoremos ainda mais.

O jeito Disney de encantar os clientes

Basta perguntar à maior varejista mundial especializada em brinquedos, a Toys "R" Us, sediada em Paramus, Nova Jersey. Em 1948, o fundador Charles Lazarus reinventou o varejo de brinquedos e o varejo em geral quando criou o primeiro supermercado de brinquedos, uma loja que oferecia tudo que qualquer criança poderia querer. As grandes redes de varejo especializadas de hoje não existiriam sem o modelo de negócios do sr. Lazarus, e a Toys "R" Us é uma empresa de US$ 11,8 bilhões com mais de 1,5 mil lojas e 76 mil funcionários.

Você pode achar que a Toys "R" Us tem futuro garantido, mas a administração da empresa não pensa assim. Os tempos mudam e os clientes também, de forma que a empresa continua a reinventar a si mesma e os seus processos de negócios. Ela acrescentou um negócio de vendas por catálogo quando a tendência de compras em casa começou a crescer e, com o advento da internet, a empresa se dedicou a dominar as vendas de brinquedos no ciberespaço.

Em 1999, a Toys "R" Us também começou a reformular a experiência do convidado em suas muitas lojas de varejo. Os líderes da empresa perceberam que a superloja de brinquedos de Charles Lazarus não era mais tão inigualável quanto fora uma década antes e, dessa forma, decidiram fazer outra grande aposta acrescentando magia prática ao seu mix de vendas. Depois de realizar o *benchmarking* de seu atendimento de qualidade no Walt Disney World e treinar uma equipe de implementação no Disney Institute, a Toys "R" Us lançou sua nova marca de atendimento. Na noite do dia 13 de junho de 1999, cada associado e gestor na América do Norte, incluindo 2 mil associados do pessoal de suporte nacional, aprenderam os fundamentos da criação de experiências mágicas de atendimento, encantando os convidados, e uma nova visão e vocabulário de atendimento. À meia-noite de 14 de junho, ocorreu o "momento mágico" e cada funcionário soube que concretizar a magia prática para seus convidados era o novo negócio da Toys "R" Us.

Da mesma forma como a Toys "R" Us, você pode reconhecer as realidades de um mercado em eterna evolução e melhorar continuamente o seu modelo de negócios e processos ou pode insistir em acreditar que acertou de primeira e enfiar a cabeça na areia.

A magia do processo

Se você escolher a primeira opção, continue lendo. Se não, veja o que Michael Eisner tem a dizer: "Ficar parado não é uma opção. Ou você assume riscos calculados para crescer ou definha lentamente e morre"[8]. Em outras palavras, na verdade, você não tem escolha. Você ainda precisa continuar lendo.

Oportunidades para a melhoria dos processos de atendimento tendem a se originar de dois tipos de circunstâncias.

A primeira surge de falhas de design, descuidos ou a disponibilidade de tecnologias melhoradas. Nós, na qualidade de organizações de serviço, nos responsabilizamos por esses problemas. O segundo tipo surge diretamente das necessidades dos convidados, ou de suas ações. Analisemos em mais detalhes esses tipos de oportunidades de melhoria.

Depuração de processos falhos

Uma das características mais populares dos parques temáticos da Disney é a possibilidade de conhecer e ser fotografado com o Mickey e todos os personagens. Essas aparições são parte integrante da experiência dos convidados desde 1955, quando a Disneylândia foi inaugurada. Para os convidados, contudo, passar o tempo que quiserem com os personagens nem sempre é uma tarefa simples.

Quando estudos de guestologia revelaram o desejo de maior acesso às aparições dos personagens e a dificuldade de transpor a grande barreira de pessoas que rapidamente se formava ao redor deles, a experiência começou a ser depurada. Primeiro veio o Toontown, que levava os personagens a áreas dedicadas a eles, como a Minnie's House, o Goofy's Playhouse e o Donald's Boat, que poderiam ser administradas para a melhor experiência do convidado. Depois, pontos para conhecer os personagens foram espalhados pelos parques e divulgados em guias e placas. E, por fim, para garantir que os convidados pudessem encontrar a Pocahontas ou a Branca de Neve ou outro personagem preferido, foi criado o CHiP. O CHiP, ou

---

[8] A citação foi tirada da p. 233 de Wok in progress, de Michael Eisner (Hyperian, 1999).

O jeito Disney de encantar os clientes

Character Hotline and Information Program, é um número de telefone para o qual todo membro do elenco pode ligar para informar aos convidados exatamente quando e onde encontrar cada personagem, onde quer que possam estar.

Algumas vezes a depuração de uma falha de processo requer causar alguma inconveniência a um cliente, como quando um recall deve ser feito para um produto com defeito. Como sabe qualquer pessoa que já tenha presenciado pesadelos de relações públicas resultantes da má administração desse tipo de incidente, eles podem ser extremamente prejudiciais à reputação e aos lucros de uma organização. No entanto, um processo de depuração bem conduzido pode melhorar tanto a fidelidade do cliente quanto os lucros de longo prazo.

O Grupo Volkswagen vivenciou esse fenômeno logo depois do lançamento de seu popular New Beetle em 1998. A empresa realizou o lançamento mais elaborado de sua história para celebrar o renascimento do clássico Fusca. Para apresentar o novo carro aos seus revendedores, a empresa levou 9 mil funcionários e familiares da sede e da rede de concessionárias da América do Norte ao Walt Disney World para participar de seminários e se divertir. O lançamento ao consumidor foi ainda mais extenso, com uma campanha de marketing e propaganda por toda a América do Norte.

Depois de um lançamento de enorme sucesso que levou a filas de espera para comprar o New Beetle, a empresa descobriu que uma unidade de fiação podia ter sido instalada de forma que poderia resultar em aquecimento por atrito em alguns carros. A empresa se preocupava com a possibilidade de, na pior das hipóteses, isso poder provocar um incêndio. Em um exemplo clássico de depuração do atendimento, a Volkswagen autorizou um *recall* completo. Nenhum cliente jamais precisaria se perguntar se o seu carro era seguro. Para compensar a clientela pela inconveniência de ter de voltar à concessionária para consertar o carro, a Volkswagen autorizou um vale de US$ 100 por cliente. Para se desculpar, as concessionárias foram autorizadas a gastar dinheiro como achassem mais conveniente para o cliente.

A rápida e sensível reação da empresa salvou o dia. Não apenas o índice de satisfação do cliente permaneceu constante, como a empresa acabou recebendo cartas de agradecimento de proprietários do New Beetle. O carro, que visava atingir vendas anuais de 50 mil veículos, vendeu mais de 70 mil unidades em seu primeiro ano e continua a vender entre 70 mil e 80 mil unidades ao ano.

Como melhorar processos obsoletos

O sistema de bilheteria do Walt Disney World é um bom exemplo de oportunidade de depuração surgida a partir de mudanças na tecnologia. O processo de venda e processamento dos ingressos ficou extremamente complicado ao longo das décadas. Os membros do elenco passavam mais tempo ocupados com os bilhetes do que atendendo os convidados. Havia 2 mil categorias ativas de bilhetes impressos para administrar e as mudanças neles demandavam um tempo de processamento de pelo menos três semanas. Além disso, os bilhetes impressos podiam ser utilizados antes da emissão, o que levava a muitos problemas de segurança e perda de controle inerentes ao sistema.

O rápido desenvolvimento de redes automatizadas e a tecnologia de cartões inteligentes permitiu que o Walt Disney World reformulasse completamente o processo. Um novo sistema automatizado de processamento de bilhetes baseado em alguns, magneticamente codificados do tamanho de um cartão de crédito, foi implementado. Agora, existem apenas oito categorias de bilhetes que podem ser codificadas em um número infinito de variações e aqueles que só podem ser utilizados depois da venda. Melhor ainda, o cartão codificado é simplesmente passado nas catracas automatizadas na entrada dos parques, deixando o elenco livre para receber e ajudar os convidados.

Depuração de processos dos convidados

Os convidados algumas vezes cometem erros. Se eles são deixados ao léu para lidar sozinhos com os resultados desses problemas, neutralizamos a nossa responsabilidade de criar experiências de atendimento de qualidade. Proporcionar uma experiência mágica para o convidado significa solucionar os problemas criados pelos convidados com a mesma dedicação com a qual atacamos os problemas de atendimento que nós mesmos criamos. O Capítulo 1 descreveu a iniciativa de depuração que os membros do elenco do Walt Disney World criaram para ajudar os convidados que se esqueciam de onde estacionaram o carro. Esse é um exemplo perfeito de melhoria de processo elaborado em resposta a um projeto de depuração de um cliente.

Algumas vezes o problema do cliente é muito pequeno. Eles podem ter um carrinho de bebê com uma rodinha com defeito, perder o botão de uma camisa ou, como qualquer pessoa com uma visão menos que perfeita bem sabe, perder um daqueles parafusos minúsculos e impossíveis de encontrar de um par de óculos. Dê uma espiada no Magic Pouch do Walt Disney World. Os membros do elenco da segurança do Epcot o inventaram para solucionar pequenos problemas encontrados comumente pelos convidados. Agora cada um deles leva consigo uma pochete contendo as soluções para esses transtornos comuns: uma lata de óleo lubrificante, um kit de costura com alfinetes de segurança e até mesmo um kit para consertar óculos. *Voilà*, problema resolvido e experiência do convidado melhorada.

***

Com isso, a nossa análise dos principais elementos do ciclo de atendimento de qualidade está completa. Vimos como concentrar nossos esforços nos convidados e descobrir o que eles querem, como criar um tema e padrões de atendimento e os três principais sistemas de prestação comuns a todas as empresas: elenco, cenário e processo. Agora falta apenas uma tarefa, a mais importante de todas: combinar todos esses elementos para criar a magia prática do atendimento de qualidade.

DICAS PARA O ATENDIMENTO DE QUALIDADE

Incorpore a orientação do processo à prestação do atendimento. Aproximadamente três quartos do atendimento são prestados por meio de processos que são as políticas, tarefas e procedimentos utilizados para prestar o atendimento.

Colete e analise expressões de combustão. Expressões de combustão são indicadores de problemas no atendimento que devem ser solucionados. Ouça e analise os seus convidados para identificar e otimizar essas questões antes de os pontos de combustão se transformarem em pontos de explosão.

A magia do processo

Otimize o fluxo de convidados ao longo de toda a experiência do atendimento. Crie o fluxo perfeito de atendimento otimizando a operação dos produtos e serviços, permitindo que os convidados administrem sozinhos suas experiências, gerenciando com eficácia os tempos de espera inevitáveis.

Equipe o seu elenco para se comunicar com os convidados. Ter respostas rápidas para as perguntas é um componente importante da satisfação do cliente. Proporcione ao elenco as informações corretas da maneira certa no momento certo.

Crie processos para os convidados que precisam de atenção especial no atendimento. Trate todos os seus convidados como VIPs – pessoas muito importantes e muito individuais. Identifique convidados que precisem de atenção especial no atendimento, como crianças, clientes estrangeiros e pessoas portadoras de deficiências, implemente processos elaborados para assegurar que eles tenham uma experiência de atendimento positiva e divulgue esses processos por toda a organização.

Depure continuamente os processos de atendimento. Melhore continuamente os seus processos de atendimento a cada chance que tiver. Conserte falhas de design e descuidos, adapte novas tecnologias, bem como técnicas e solucione os problemas dos seus clientes antes de eles pedirem ajuda.

Capítulo 6

A magia da integração

A magia da integração

No início dos anos 1940, ninguém questionava o fato de a The Walt Disney Company ter se tornado o maior estúdio de animação do mundo. A equipe do estúdio, as instalações e os equipamentos que eles tinham para trabalhar e o processo de produção de filmes se combinaram para criar o maior público de entretenimento animado da história. Walt Disney dominou a magia da integração e, com isso, criou grandes filmes, como o clássico da animação "Branca de Neve", que ocupou o lugar de filme mais lucrativo de todos os tempos até ser superado por... "E o vento levou".

Independentemente de ser o resultado de planejamento ou da intuição, Walt alavancou três sistemas de atendimento que todas as organizações têm. Seu elenco, a equipe do estúdio, era o melhor do mundo. Graças ao extenso treinamento interno e programas de aprendizagem descritos na abertura do Capítulo 3, a empresa desenvolveu continuamente a competência e a qualificação de sua força de trabalho. Walt também se ocupou da criação de um cenário de primeira classe para a produção de filmes animados. Em 1940, a empresa começou a se mudar para o estúdio novo em folha em Burbank, que Walt construiu com a atenção habitual aos detalhes. E, por fim, como descrevemos na abertura do último capítulo, passo a passo e inovação a inovação, Walt criou um processo de produção capaz de administrar e produzir longas-metragens de animação.

Quando Walt combinou esses três sistemas de atendimento, seu sonho de transformar a animação em uma forma respeitável de entretenimento foi plenamente realizado. "Toda a atenção de Hollywood se voltou às minhas animações!", ele lembrou muito tempo depois da estreia triunfante de "Branca de Neve". "Foi o máximo. E tudo remontava a quando eu mostrei a cara aqui pela primeira vez, na minha primeira estreia. Eu nunca tinha assistido a uma na minha vida. Vi todas aquelas celebridades de Hollywood chegando e tive uma sensação estranha. Eu só esperava que um dia eles fossem à estreia de um desenho animado. Porque as pessoas depreciavam a animação. Sabe, elas meio que as olhavam de cima".[1]

---

[1] A citação de Walt Disney foi tirada de *Walt Disney: an american original*, de Bob Thomas (Hyperion, 1994), p. 141.

O jeito Disney de encantar os clientes

Walt reuniu os três sistemas do atendimento de qualidade mais uma vez para criar o entretenimento sem igual conhecido como Disneylândia. Para esse novo tipo de parque de diversões, ele contratou uma nova espécie de funcionários. Pessoas malajambradas e mal-humoradas nem precisavam se candidatar. Em vez disso, Walt insistia em imagem alinhada e sorriso permanente. E ele criou a primeira universidade corporativa para ensinar seu elenco a atender os convidados da Disneylândia. O cenário foi planejado, construído e continuamente ajustado nos mínimos detalhes. E, como vimos no Capítulo 5, os processos, como a duração do passeio no Jungle Boat, foram meticulosamente refinados e executados.

O resultado, tirando o Domingo Negro, aquele dia de inauguração descontrolado quando as multidões simplesmente invadiram o novo parque, foi um sucesso estrondoso. Sete semanas depois da inauguração, 1 milhão de convidados já tinham visitado a Disneylândia. O comparecimento excedeu em 50% as metas da empresa e os convidados gastavam 30% mais do que o previsto. Em 1950, a Disney Company tinha um faturamento de US$ 5 milhões. Em 1955, quando a Disneylândia foi inaugurada, o faturamento foi de US$ 27 milhões. E, no fim de 1959, o faturamento da empresa já tinha crescido a US$ 70 milhões. A magia da integração transformara o estúdio de animações de Walt Disney em um império do entretenimento.[2]

A integração ainda exerce sua magia por toda a The Walt Disney Company. Qualquer expectador que tenha assistido extasiado a "Toy Story", "O Rei Leão" ou algum outro dos inúmeros sucessos da Disney foi agraciado com uma dose integral do atendimento de qualidade. Cada um dos milhões de visitantes anuais da Disneylândia, do Walt Disney World, da Disneyland Paris e da Tokyo Disneyland recebe a mesma experiência integrada de atendimento, apesar de os convidados sem dúvida não descreverem suas férias nesses termos.

---
[2] *Ibid.*, p. 285.

A CONSTRUÇÃO DO ATENDIMENTO DE QUALIDADE

Eis uma cena que você jamais verá: os seus vizinhos acabam de chegar das férias no Walt Disney World. "Como foi?", você pergunta. "Uau", dizem os pais, "você precisa vivenciar o tema do atendimento do Walt Disney World para acreditar. Aqueles sujeitos conhecem muito bem seus padrões de atendimento".

"É!", as crianças interrompem. "E o Grand Floridian Resort? Aquilo é que é cultura de apresentação. E você precisa ver como eles combinam elenco, cenário e processo na The Twilight Zone Tower of Terror para prestar um atendimento de qualidade!"

Os convidados estão cercados por todas essas coisas, mas conceitos como padrões e sistemas de atendimento constituem a infraestrutura do ciclo de atendimento de qualidade e, como muitas infraestruturas, ela é evidente ao cliente. Como a pessoa que navega na internet e passa sem esforço de um site a outro viajando pelo planeta com um clique do mouse, os convidados podem ver e avaliar o atendimento prestado pela infraestrutura. Então, quando os seus vizinhos começarem a contar suas maravilhosas experiências no Grand Floridian ou no The Twilight Zone Tower of Terror, o que eles realmente estão descrevendo é com que eficácia todos os elementos do ciclo de atendimento de qualidade foram integrados para proporcionar uma experiência mágica e ininterrupta ao convidado.

Integração é a palavra-chave. Integração é o processo de reunir todos os elementos do atendimento de qualidade para criar uma experiência completa. Trata-se do passo final crítico do ciclo de atendimento de qualidade. O atendimento de qualidade é definido como prestar atenção aos detalhes e superar as expectativas. A integração ajuda a identificar com quais detalhes lidar e quais expectativas superar.

Quando os elementos de um sistema são adequadamente integrados, o resultado é um enorme impulso de progresso. O valor de toda a organização aumenta, excedendo a soma de suas partes. Esse efeito multiplicador ocorre porque a operação eficaz de um sistema não apenas atinge as próprias metas como também apoia e ajuda as metas dos outros sistemas. Por exemplo, o restaurante temático Whispering Canyon Cafe do resort Wilderness Lodge pode ser acessado pelo saguão do hotel e o seu elenco veste-se e age como personagens do Velho Oeste. Como consequência, o elenco faz mais do que simplesmente servir refeições aos convidados. Eles entretêm as pessoas no restaurante com ações e sotaques pitorescos e reforçam o show de todo o saguão. O elenco agrega valor ao cenário.

Mas os elementos de um sistema devem ser *adequadamente* integrados. É possível aumentar a eficácia de um elemento à custa de outro. Os carrinhos da Haunted Mansion poderiam ser mais rápidos e mais convidados poderiam ver o show por hora. O processo de fluxo de convidados seria mais eficiente, mas qual seria o efeito sobre o elenco, sem mencionar a capacidade dos convidados de apreciar os detalhes do cenário? Os elementos em um sistema devem ser alinhados para funcionarem juntos ou podem prejudicar uns aos outros.

O que exatamente é integrado e alinhado para criar o atendimento de qualidade? A resposta simples é: os padrões de atendimento da organização e seus sistemas primários de atendimento. Os padrões de atendimento – no Walt Disney World, segurança, cortesia, espetáculo e eficiência – representam comportamentos que permitem que o tema do atendimento seja concretizado, e os sistemas de atendimento – elenco, cenário e processo – são os canais de distribuição utilizados para assegurar que os convidados se beneficiem desses padrões. Dessa forma, a meta da integração é a entrega dos padrões de atendimento da sua organização por meio do elenco, processo e cenário.

Cada padrão de atendimento pode ser distribuído em todos os três sistemas. No Walt Disney World, a segurança é garantida por meio do elenco, do cenário e dos processos. O elenco é treinado nos níveis organizacional e departamental em técnicas de segurança. O cenário também garante a segurança. Metade do calçadão de madeira do BoardWalk Resort é sustentada por aço; ele foi projetado para proporcionar acesso emergencial às lojas e restaurantes ao longo da orla. E, por fim, a segurança é incorporada aos processos, como a possibilidade de desacelerar e parar atrações no embarque e desembarque de convidados. Os padrões de cortesia, espetáculo e eficiência também podem ser distribuídos em todos os três sistemas de atendimento.

Apesar de todos os três sistemas de atendimento poderem proporcionar cada padrão de atendimento, alguns sistemas são especialmente mais bem alinhados a padrões específicos. No Disney Institute, eles são conhecidos como "atrações principais", devido ao poder inerente dessas combinações especiais. Por exemplo, apesar de a cortesia ser entregue por meio do cenário e do processo, o elenco é especialmente apropriado para proporcionar aquele toque especial aos convidados. Da mesma forma, o padrão de espetáculo do Walt Disney World é melhor comunicado por meio do cenário, e a eficiência é muitas vezes uma questão relacionada a processos. As "atrações principais" variarão, dependendo dos padrões de atendimento da sua organização, mas você deve identificá-las e se certificar de que sejam levadas em consideração durante a fase de integração do desenvolvimento do atendimento de qualidade.

O fato de haver "atrações principais" naturais de integração não significa que outros sistemas de atendimento possam ser ignorados. Dito isso, todos os três sistemas de atendimento devem ser utilizados para concretizar os padrões de atendimento. Os sistemas secundários são chamados de "marcos", porque oferecem boas oportunidades de exceder as expectativas dos convidados. É importante que um processo proporcione uma experiência eficiente de atendimento, mas muitos clientes esperam transações ágeis e rápidas hoje em dia. Contudo, quando o elenco e o *layout* da organização agilizam ainda mais essa experiência, os clientes muitas vezes ficam encantados.

A MATRIZ DE INTEGRAÇÃO

A Matriz de Integração ajudará na orientação pelo processo de análise e melhoria do atendimento de qualidade. A matriz abaixo é um diagrama simples elaborado para monitorar a concretização dos padrões de atendimento por meio dos sistemas de atendimento. Para criar a sua própria matriz, faça uma tabela com linhas suficientes para relacionar os padrões de atendimento da sua organização e três colunas para os sistemas de atendimento – elenco, cenário e processo. Agora, escreva os padrões de atendimento no lado direito em ordem de prioridade, a começar de cima. (É importante priorizar os padrões de atendimento.)

	A Matriz de Integração		
	Elenco	Cenário	Processo
Segurança			
Cortesia			
Espetáculo			
Eficiência			

Pare por um momento para refletir sobre os quadros vazios na matriz. Cada um deles representa uma interseção entre um padrão de atendimento e um sistema de atendimento. No primeiro quadro, no canto superior esquerdo do diagrama, segurança e elenco são combinados. No último quadro, no canto inferior direito, eficiência e processo se encontram. Cada uma dessas interseções representa uma hora da verdade do atendimento, um ponto no qual você pode influenciar a qualidade da experiência do convidado. Cada quadro faz uma pergunta ao usuário. Por exemplo, no canto superior esquerdo a pergunta é: Como o seu elenco garantirá a segurança dos convidados? No canto inferior direito: Como os seus processos criarão uma experiência mais eficiente para o convidado? Ao preencher as respostas em cada quadro, você pode criar uma experiência completa de atendimento de qualidade.

A capacidade de conceber uma nova abordagem integrada à experiência do convidado constitui apenas uma das utilidades da matriz. Ela também pode ser utilizada como ferramenta de diagnóstico para isolar, analisar e fazer o *brainstorming* de soluções para falhas do atendimento. Você pode ajustar e detalhar a matriz, incluindo outros parâmetros. Como, por exemplo, utilizá-la para identificar abordagens eficazes e baratas para criar momentos de atendimento. E, por fim, a Matriz de Integração é uma ferramenta útil de *benchmarking*. Ela pode ser usada para analisar o atendimento de um concorrente ou parceiro.

Da mesma forma, o nível no qual você pode aplicar a matriz também pode variar. Ela pode ser utilizada no nível estratégico. Por exemplo, você pode gerar amplas fronteiras para o atendimento de qualidade utilizando-a para analisar e melhorar a experiência de ponta a ponta do convidado. Você também pode estreitar o foco da matriz ao nível departamental ou de processo voltando-o a vendas, serviço ao cliente ou cobrança. Ou estreitar ainda mais o foco da matriz concentrando-se em um único momento de atendimento – se concentrando em um quadro da matriz. Ao ajustar o foco da matriz, ela passa a ser útil em todos os níveis da organização, da equipe de liderança sênior a um grupo de membros do elenco da linha de frente encarregados de criar melhorias em seu próprio espetáculo. Vejamos o exemplo de uma Matriz de Integração específica para o Disney Vacation Club.

INTEGRAÇÃO DO ATENDIMENTO NO DISNEY VACATION CLUB

Lançado com a inauguração do Disney Vacation Club Resort (hoje chamado de Old Key West Resort da Disney) em outubro de 1991, o Disney Vacation Club (DVC) foi criado em resposta ao desejo dos convidados de serem proprietários de uma parte da magia. Essa coletânea de resorts compartilhados é um conceito pioneiro que a Disney chama de "participação acionária das férias".

O DVC se empenhou para transcender a flexibilidade limitada típica do *sistema de timesharing*, que dá o direito de uso de um ou vários locais em períodos especificados. Por exemplo, os membros do Vacation Club usufruem de um sistema de pontos que lhes permite flexibilidade máxima para utilizar seu tempo de férias. Podem usar os pontos para visitar qualquer Disney Resort ao redor do mundo. Além de uma miríade de outros destinos, os membros podem utilizar os pontos por noite de hospedagem para diferentes acomodações com base em suas necessidades naquele período específico e em qualquer período do ano.

Este acabou se provando um programa extremamente popular e a demanda dos convidados levou a uma rápida expansão. O Old Key West Resort foi seguido pelo Vero Beach Resort da Disney, o primeiro resort construído longe dos parques temáticos. Logo foi inaugurado o Hilton Head Island Resort da Disney. O número de resorts nas propriedades da Disney também foi expandido. Além do Old Key West Resort, os membros do Vacation Club hoje podem se hospedar nas BoardWalk Villas, no Wilderness Lodge ou, desde 2002, nas Villas do Beach Club Resort da Disney.

O DVC também se empenhou para transcender a reputação de certa forma questionável dos sistemas de *timesharing*. Apesar de haver muitas construtoras e operadoras de alta qualidade no setor, a palavra "*timesharing*" pode evocar uma imagem negativa no público. Para criar um programa de participação compartilhada capaz de existir em harmonia com o tema de atendimento da Disney e apoiá-lo, o DVC precisava reinventar a experiência de vendas para se adequar aos padrões de atendimento do Walt Disney World. Veja como a Matriz de Integração pode ser utilizada para analisar essa iniciativa.

	Elenco	Cenário	Processo
Segurança	Treinamento de toda a propriedade e exclusivo ao DVC em políticas e técnicas de segurança	Recursos para o atendimento emergencial; materiais seguros; acesso de emergência	Fluxo do tráfego; respostas do elenco; planos de evacuação

As primeiras questões, naturalmente, envolvem a principal prioridade de atendimento do DVC, o padrão de segurança não negociável. Como o DVC garante a segurança dos convidados e do elenco? Felizmente, as respostas a essas questões já estão bem consolidadas

A magia da integração

no Walt Disney World. O elenco proporciona uma experiência segura estando preparado para emergências. O pessoal do DVC recebe o mesmo treinamento de toda a propriedade e específico ao local recebido por todos os membros do elenco do Walt Disney World. O cenário oferece extintores de incêndio e equipamento de primeiros socorros. Ele oferece acesso a veículos de atendimento de emergência e é construído com materiais que aumentam a segurança do convidado. Processos foram criados para garantir uma resposta uniforme e rápida do elenco a emergências. Padrões de fluxo de tráfego e evacuação foram determinados.

Basta passar para a próxima linha da Matriz de Integração para recebermos nossa próxima série de questões. Desta vez, temos a prestação do padrão de cortesia na experiência de pré-estreia. Como o elenco constitui a principal atração da cortesia, o DVC assegurou que o elenco exercesse um papel primário na concretização de uma experiência cortês de vendas. A empresa foi contra o estereótipo da indústria do *timesharing* e se concentrou no desenvolvimento de relacionamentos de longo prazo com os membros do clube. O DVC se certifica de que o elenco de vendas acredite no valor oferecido aos associados do clube e enfatiza que a venda ajuda os convidados. DVC também aplicou todas as Dicas de Apresentação do Walt Disney World para orientar o comportamento do elenco.

Com as ações do elenco definidas, podemos começar a pensar em como os sistemas de marcos estendem o padrão da cortesia. No DVC, o cuidado e a cortesia são incorporados ao cenário. Por exemplo, há um porta-guarda-chuva no centro de pré-estreia para que nenhum convidado se molhe durante uma visita. E, como os convidados muitas vezes levam toda a família, o centro foi equipado com uma sala de brinquedos supervisionada, de forma que os pais possam se concentrar na apresentação e as crianças não fiquem entediadas. O processo de vendas também foi elaborado para garantir um tratamento cortês. O elenco de vendas do DVC nunca assedia os convidados com "duplas de vendedores" nem tenta forçar de qualquer outra forma uma venda ao convidado.

Descendo mais uma linha na Matriz de Integração, somos confrontados com um terceiro conjunto de questões. Dessa vez, nos concentramos no padrão do espetáculo e em como ele é distribuído pelo elenco, cenário e processo do DVC. Começando com a atração principal, neste caso, o cenário, o DVC decidiu que cada centro de pré-estreia precisaria refletir uma atmosfera de "boas-vindas". Qualidade e detalhamento são características da construção de cada centro. O centro de pré-estreia nas BoardWalk Villas, por exemplo, transmite a empolgação, a cor e a extravagância de um calçadão de madeira na orla do Atlântico nos anos 1920.

	Elenco	Cenário	Processo
Cortesia	Construir relacionamentos de longo prazo; ser apaixonado pelo produto; usar Dicas de Apresentação	Guarda-chuvas para os convidados; sala de brinquedos supervisionada para crianças	Um membro do elenco de vendas por convidado; técnicas agressivas de venda são proibidas

Para comunicar ainda mais o espetáculo, o DVC o estendeu aos sistemas de elenco e processo. O elenco foi treinado por um consultor de apresentação, que lhes mostrou como manter cada apresentação original e interessante para os convidados, não importa com que frequência os membros do elenco os repitam todos os dias. Independentemente de comprarem a associação ou não, o DVC assegura que os convidados saiam com uma boa impressão oferecendo guloseimas típicas de um calçadão à beira-mar, como algodão-doce e caramelo ligeiramente salgado. "Acredito que [os convidados ficam] agradavelmente surpresos ao descobrir", diz um gerente de marketing do DVC, "que uma das decisões mais difíceis que precisam tomar ao final do processo de vendas é escolher entre algodão-doce e caramelo".[3]

	Elenco	Cenário	Processo
Espetáculo	Vendas como uma apresentação no palco; treinamento em apresentação	A sua casa fora de casa; design de interiores; guloseimas temáticas	Surpreender o convidado no final oferecendo doces como última ação

---

[3] A citação é de uma entrevista filmada com membros do elenco do DVC conduzida pelo Disney Institute.

A magia da integração

A última linha da análise da tentativa do DVC de construir uma experiência de pré-estreia que incorpore o tema e os padrões de atendimento do Walt Disney World diz respeito ao padrão da eficiência. A atração principal aqui é o sistema do processo, e uma maneira pela qual o DVC assegura que o processo de vendas seja eficiente é incluir um membro de elenco de garantia de qualidade no processo sempre que o convidado decide comprar uma associação. O membro de elenco de garantia de qualidade se senta com o convidado e oferece explicações sobre toda a papelada e os contratos que o convidado assinará. Dessa forma, o DVC garante que todos os convidados entendam plenamente o comprometimento e o custo envolvidos e que nenhum jamais saia confuso ou se sentindo pressionado a comprar.

No que já deve estar começando a parecer um padrão conhecido para você, o DVC então avaliou os sistemas de marco do elenco e cenário e como eles poderiam proporcionar uma experiência de pré-estreia eficiente. O elenco, por exemplo, foi orientado a informar de cara aos convidados os detalhes importantes de uma associação no clube. Eles explicam o produto, fazem cotações do custo da associação e informam imediatamente ao convidado uma estimativa de duração do processo de pré-estreia. Dessa forma, o DVC não desperdiça o tempo do convidado ou do membro do elenco. Finalmente, o cenário do Commodore House foi projetado para facilitar o fluxo de convidados pelo processo de pré-estreia. A partir do momento em que é recebido no saguão de entrada, cada convidado é escoltado para uma sala de apresentação temática na qual o elenco de vendas apresenta os benefícios da associação. E uma sala ao lado conta com maquetes de diferentes resorts do DVC. A isso se segue um passeio físico por um showroom e um resort e o convidado é escoltado de volta ao centro de pré-estreia e a uma sala que proporciona um espaço privado e tranquilo para conversar sobre uma compra e tomar decisões com calma.

	Elenco	Cenário	Processo
Eficiência	Proporcionar informações críticas de compra desde o início	O cenário ajuda a aumentar a eficiência do fluxo de convidados; sala tranquila e privada para fechar o negócio com calma	Inclusão de membro de equipe de garantia de qualidade no fechamento do negócio

Isso conclui a Matriz de Integração do DVC, mas vale notar alguns detalhes antes de integrarmos todos os elementos. Em primeiro lugar, para facilitar o estudo de caso, descrevemos apenas algumas das ideias utilizadas no DVC em cada momento de atendimento. Na verdade, cada quadro possui uma longa lista de ações elaboradas para proporcionar uma experiência mágica de atendimento. Em segundo lugar, para fins de clareza, descrevemos a utilização da matriz de forma linear. Na verdade, você pode começar em qualquer ponto e prosseguir como for mais conveniente. O importante é que, no final do processo, cada quadro tenha sido profundamente analisado. Tendo isso em mente, veja a Matriz de Integração completa da DVC:

	Elenco	Cenário	Processo
Segurança	Treinamento de toda a propriedade e exclusivo ao DVC em políticas e técnicas de segurança	Recursos para o atendimento emergencial; materiais seguros; acesso de emergência	Fluxo do tráfego; respostas do elenco; planos de evacuação
Cortesia	Construir relacionamentos de longo prazo; ser apaixonado pelo produto; usar Dicas de Apresentação	Guarda-chuvas para os convidados; sala de brinquedos supervisionada para crianças	Um membro do elenco de vendas por convidado; técnicas agressivas de venda são proibidas
Espetáculo	Vendas como uma apresentação no palco; treinamento em apresentação	A sua casa fora de casa; design de interiores; guloseimas temáticas	Surpreender o convidado no final oferecendo doces como última ação
Eficiência	Proporcionar informações críticas de compra desde o início	O cenário ajuda a aumentar a eficiência do fluxo de convidados; sala tranquila e privada para fechar o negócio com calma	Inclusão de membro de equipe de garantia de qualidade no fechamento do negócio

OS TRÊS ELEMENTOS DOS MOMENTOS MÁGICOS DE ATENDIMENTO

Bill Martin, um dos *imagineers* que ajudaram a projetar a Disneylândia, fez a seguinte observação sobre sua experiência trabalhando com Walt Disney. "Walt costumava dizer: 'Não me interessa o que vocês não conseguem fazer. Eu quero ouvir o que vocês

A magia da integração

conseguem fazer'. Se houvesse quinze maneiras de solucionar um problema, Walt queria conhecer todas as quinze".[4] Essa é uma das razões pelas quais Walt teria gostado da Matriz de Integração.

Uma das melhores características da Matriz de Integração é que ela deixa espaço para mais de uma resposta correta para a criação de um excelente momento de atendimento. Quando começar a utilizar a Matriz de Integração para desenvolver elementos do atendimento, você verá que cada interseção entre um padrão de atendimento e um sistema de atendimento gera inúmeras alternativas. Você pode escolher implementar uma ideia, todas elas ou quantas quiser.

Quando chegar a hora de analisar todas as ideias geradas utilizando a Matriz de Integração e você começar a decidir quais implementar, há três características de excelentes momentos de atendimento que devem ser mantidas em mente. São elas: alto contato, alto espetáculo e alta tecnologia.

O *alto contato* se refere à necessidade de incorporar interação à experiência do convidado. Em geral, nós, seres humanos, gostamos de ter contato uns com os outros. Então, se criarmos soluções de atendimento que deem aos convidados uma chance de participar, fazer escolhas e interagir com o elenco, eles se conectarão mais intimamente com a experiência e a organização que a proporciona. O alto contato é uma qualidade que pode ser proporcionada com mais facilidade pelo elenco.

No Walt Disney World, quando você vê um membro do elenco tirando uma foto do convidado e sua família, está testemunhando um atendimento de alto contato. Quando liga para o serviço de atendimento WDW-DINE (407-939-3463) para fazer uma reserva em um restaurante, está testemunhando o alto contato aplicado ao processo. E, quando entra no playground em tamanho gigante que é o *Honey, I Shrunk the Kids Movie Set Adventure*, recebe alto contato de um cenário.

---

[4] A citação de Bill Martin foi tirada da p. 102 de *Remembering Walt:* favorite memories of Walt Disney, de Amy Boothe Green e Howard Green (Disney Editions, 1999).

O jeito Disney de encantar os clientes

O *alto espetáculo* se refere à necessidade de incorporar apresentações memoráveis à experiência do convidado. Quando escolhemos soluções de atendimento de alto espetáculo, os convidados apreciam experiências memoráveis e vívidas – o tipo de experiência que eles passarão meses e talvez anos contando. O alto espetáculo é uma qualidade estreitamente alinhada ao sistema do cenário, de forma que você deve se certificar de incorporá-lo ao design dos ativos físicos da sua organização.

O Grand Floridian Resort & Spa da Disney é um bom exemplo de cenário de alto espetáculo. Inspirado nos grandes hotéis do final século 19, ele é uma viagem de 900 quartos de volta à Era Vitoriana, e cada detalhe apoia o espetáculo. Podemos ver o alto espetáculo aplicado a um processo no programa do Epcot. Todas as noites, fogos de artifício, lasers, fontes e música se combinam para criar um final espetacular para o dia no parque. E faça uma visita ao Disney-MGM Studios para ver como o elenco pode proporcionar o alto espetáculo. Lá, os artistas de rua do elenco da Streetmosphere são fantasiados e se apresentam como personagens que você provavelmente encontraria nas ruas de Hollywood. Aspirantes a celebridades e taxistas e até mesmo caçadores de autógrafos entretêm os convidados enquanto eles visitam o parque.

A *alta tecnologia* se refere à necessidade de incorporar velocidade, precisão e competência às soluções de atendimento. Quando temos sucesso na criação de um atendimento de alta tecnologia, damos aos convidados a dádiva do tempo, desenvolvemos produtos e serviços que se aproximam do limiar do possível e, muitas vezes, maximizamos os lucros. Os processos são particularmente apropriados para entregar a alta tecnologia, de forma que, à medida que cria e melhora os processos, pense em como eles podem ser mais eficientes e divertidos com a tecnologia.

O novo sistema de bilheteria do Walt Disney World descrito no capítulo anterior é um processo que incorpora a alta tecnologia. Para ver a alta tecnologia em um cenário, dê uma volta na montanha-russa Rock 'N Roller Coaster Starring Aerosmith do Disney-MGM Studios. Os veículos aceleram de 0 a 97 quilômetros por hora em 2,8

A magia da integração

segundos, exercendo uma pressão de 5g sobre o passageiro e, com cinco alto-falantes por assento, os convidados têm a impressão de estarem sendo acompanhados pela banda de rock.

E, por fim, para ver a alta tecnologia em ação no sistema de elenco, dê uma olhada nos bastidores do Reedy Creek Emergency Services. Paramédicos e bombeiros empregam muitas soluções de alta tecnologia para proteger os membros do elenco e convidados do Walt Disney World. Para ter uma ideia do que isso significa, pense que, desde a inauguração da propriedade em 1971, houve menos de US$ 200.000 em perdas devido a incêndios estruturais. Um único incêndio domiciliar pode facilmente superar esse valor.

Alto contato, alto espetáculo e alta tecnologia. À medida que explorar maneiras de melhorar ao máximo seus momentos de atendimento, certifique-se de manter esses três recursos em mente.

UMA ÚLTIMA FERRAMENTA: O *STORYBOARD*

O kit de ferramentas do ciclo de atendimento de qualidade inclui mais uma técnica eficaz, o *storyboard*. O *storyboard* é uma maneira eficaz de mapear uma solução de atendimento e elaborar um plano para a sua implementação. É utilizado por toda a The Walt Disney Company e também é uma técnica comum na indústria cinematográfica. Mas, o que muitas das pessoas que a utilizam não sabem é que ela se originou nos estúdios de animação Disney nos anos 1930.

De acordo com Walt, o *storyboard* foi inventado pelo animador Webb Smith, um dos primeiros roteiristas do estúdio. Quando Webb planejava uma história, ele a desenhava em vez de descrever a ação em palavras. No início, ele simplesmente espalhava os desenhos pelo chão da sua sala, mas logo passou a pendurá-los nas paredes na ordem certa. Dessa forma, a história ganhou uma valiosa dimensão visual. De acordo com a lenda, Walt não ficou nada contente com a inovação. Ele tinha acabado de redecorar os escritórios e as paredes desfiguradas da sala de Webb se destacavam como um dedão machucado. Mas Walt também reconhecia a ordem imposta pelos desenhos pendurados na parede e a facilidade com a qual todo o filme podia ser analisado e manipulado. Então encomendou quadros de cortiça de 1,2 metro por 2,4 metro e assim nasceu o *storyboard*.[5]

Em pouco tempo todas as animações da Disney ganhavam vida primeiro em um *storyboard* e o quadro de cortiça era levado a outros departamentos à medida que o projeto avançava. Os roteiristas apresentavam suas ideias a Walt em um *storyboard*, cor e som eram incluídos usando o *storyboard* como um ponto de referência e assim por diante. Quando Walt "sequestrou" os animadores do estúdio para projetar as atrações para a Disneylândia, eles levaram o *storyboard* consigo. E, hoje, esta é uma técnica comum entre os *imagineers*. Veja como eles descrevem sua utilização:

> O primeiro passo no desenvolvimento de um mundo tridimensional é vê-lo em *storyboards* bidimensionais [...] Para cada brinquedo, espetáculo ou atração, é criada uma sequência lógica da história. Quase todos os aspectos do projeto são segmentados em progressivos esboços de cenas, chamados de painéis do *storyboard*, que refletem o início, o meio e o fim da experiência dos nossos convidados no parque.
>
> Os quadros de cortiça são preenchidos com cada pensamento, ideia e esboço que pudermos imaginar. Se necessário, um conjunto separado de *storyboards* é desenvolvido para definir as sequências de câmera necessárias para os vídeos ou filmes que farão parte da atração. À medida que são submetidos ao processo de ajustes finos, os quadros são utilizados como uma ferramenta de apresentação para vender a ideia à administração e explicar o conceito a todos os departamentos da *Imagineering* que contribuirão para a evolução do projeto.
>
> Um *storyboard* concluído nos oferece a primeira oportunidade de vivenciar um novo brinquedo ou espetáculo e ver como a ideia poderia – ou não – funcionar.[6]

---

[5] As origens do *storyboard* são narradas nas páginas 147 e 148 de *The Disney version*, de Richard Schickel (Ivan R. Dee, 1997).

[6] O trecho citado foi tirado da p. 40 de *Walt Disney Imagineering* (Hyperion, 1996). Leia o livro para uma descrição aprofundada do processo de "design e construção" utilizado pelos *imagineers* da Disney.

A magia da integração

Como já deve estar claro, o *storyboard* também é uma forma eficaz de visualizar e organizar o desenvolvimento das soluções de atendimento geradas pela Matriz de Integração. Ele oferece uma maneira de mapear a experiência do ponto de vista do convidado e melhorar, diagnosticar e solucionar problemas na ação proposta antes de ela sair do papel e ser concretizada na vida real. Veja duas diretrizes rápidas para a utilização da técnica do *storyboard*. 1) Para aqueles que não são artistas, não se intimide com a utilização de desenhos. A Disney tem vários artistas excelentes, mas o *storyboard* não tem nada a ver com a beleza dos desenhos. Sua essência reside na capacidade de ver e analisar ideias através dos olhos dos seus convidados. 2) Não restrinja o *storyboard* a desenhos. Inclua amostras de tecido, amostras de cores, fotos, textos, ideias de brainstorming e qualquer outra coisa que ajude a transmitir uma imagem melhor do projeto. Qualquer um esses itens pode acionar uma grande inovação capaz de elevar o nível do seu atendimento.

***

É assim que os elementos do atendimento de qualidade são integrados no Walt Disney World. O tema do atendimento gera padrões. Os padrões são definidos e ofertados utilizando três sistemas básicos que todas as organizações possuem: pessoal, ativos físicos e processos. E, por fim, todos os três sistemas são integrados e alinhados. Esse é o negócio por trás da marca de magia da Disney. Aplique-o na sua organização e logo estará criando a sua própria magia prática.

Você acabou de concluir uma volta completa no ciclo de atendimento de qualidade. Nós abrimos as cortinas para revelar como é criado o nível de atendimento de qualidade que fez do Walt Disney World um referencial de excelência. E, com a generosa permissão e ajuda de um grupo seleto de clientes do Disney Institute, você viu como organizações das áreas de negócios, educação, saúde e governo aplicaram os elementos do ciclo de atendimento de qualidade para melhorar as experiências de seus convidados.

O jeito Disney de encantar os clientes

DICAS PARA O ATENDIMENTO DE QUALIDADE

Construa uma organização de atendimento maior do que a soma de suas peças com a integração. A integração é o trabalho de alinhar e concretizar padrões de atendimento por meio dos três sistemas de atendimento – elenco, cenário e processo.

Satisfaça as expectativas do convidado com atrações principais; exceda as expectativas com marcos. As atrações principais são combinações de padrões e sistemas de atendimento naturalmente compatíveis. No Walt Disney World, eles são: elenco e cortesia, cenário e espetáculo, processo e eficiência. Os marcos são as combinações restantes. Eles podem ser utilizados para concretizar os padrões de atendimento de maneiras inesperadas para surpreender e encantar os convidados.

Inclua a Matriz de Integração no seu kit de ferramentas organizacional. A Matriz de Integração é uma tabela expandida que combina padrões e sistemas de atendimento. Utilize-a para analisar e gerenciar o design e o desenvolvimento do atendimento de qualidade.

Gerencie todas as horas da verdade no atendimento. Na Matriz de Integração, cada combinação entre um padrão e um sistema de atendimento representa uma hora da verdade no atendimento. Cada uma delas deve ser completamente analisada e desenvolvida para proporcionar um momento mágico de atendimento.

Escolha soluções de atendimento de alto contato, alto espetáculo e alta tecnologia. Ao analisar as soluções de atendimento, procure aquelas que satisfazem a necessidade do cliente em termos de interação, apresentação memorável e eficiência.

Planeja e administre as implementações de solução utilizando storyboards. Utilize os *storyboards*, mapas visuais de soluções de atendimento, para melhorar a implementação.